RIBON MASCOT COMICS 1209 Cookie

NANA 1

ナナ

矢《や》沢《ざわ》あい

もくじ

あたしの生《う》まれ故郷《こきょう》は
山《やま》に囲《かこ》まれた
広《ひろ》くも狭《せま》くもない町《まち》で
ど田舎《いなか》ではないけど都会《とかい》でもない
観光《かんこう》に来《こ》られてもウリがない
あたしは3人兄弟《にんきょうだい》の真《ま》ん中《なか》で
金持《かねも》ちでも貧乏《びんぼう》でもない親《おや》に
ほったらかされてスクスクと育《そだ》ち
県内《けんない》普通《ふつう》レベルの女子校《じょしこう》を
もうすぐ卒業《そつぎょう》する

NANA
ナナ

東京《とうきょう》？
ああ
シュボッ
来週《らいしゅう》から

ちょっと待《ま》って
それは出張《しゅっちょう》で なくて…?
……転勤《てんきん》
7
そっ…
そんなの イヤッ!!
東京《とうきょう》の本社《ほんしゃ》から 急《きゅう》に お呼《よ》びが かかってね
まいったよ
まあ このリストラ時代《じだい》に ありがたい話《はなし》では あるけど
でも待《ま》てよ
東京《とうきょう》なら 新幹線《しんかんせん》で 2時間《じかん》だし
その気になりゃ すぐ会えるか
江戸時代じゃないんだから…
どうせ今《いま》までだって たまにしか会《あ》えな かったんだし……
寂《さび》しくなるな 奈々《なな》ちゃんに 会《あ》えなく なるのは
でも仕事《しごと》だし 仕方《しかた》ないか……
今《いま》まで 楽《たの》しかったよ
ヴォン
ありがとう

それは一九九九年《ねん》七《なな》の月《つき》
……より4か月《げつ》も早《はや》く
HOTEL
ティファナー
OUT
恐《きょう》怖《ふ》の大《だい》王《おう》が
あたしの頭《ず》上《じょう》めがけて
落《お》ちて来《き》た
わかっては　いたのだ
この恋《こい》に　しょせん
未来《みらい》なんかない
でも　こんないきなり
そんな　あっさり

ばかばかしくって
涙《なみだ》も出《で》ないよ

泣《な》いてるじゃん
だって……
あうっっ…あう…
うあっ
淳《じゅん》ちゃあああん
だからやめとけって言《い》ったのに
女子高生《じょしこうせい》の分際《ぶんざい》で不倫《ふりん》の恋《こい》なんて…
不倫《ふりん》とか言《い》わないで!!
演歌くさいから!
じゃあ援交《えんこう》?
淳《じゅん》ちゃん!
あたしは浅野《あさの》さんからお金《かね》なんか一銭《いっせん》ももらってないもん!
知《し》ってるくせに!
ばかだねぇ……
どーせならたんまりもらっときゃよかったのに
やり逃《に》げされて
淳《じゅん》ちゃ……
やり逃げって……
でも向《む》こうにしたらやっぱ ただの遊《あそ》びだったんだねぇ
どすっ
うそだよ奈々《なな》
あんたがあの男《おとこ》に本気《ほんき》だったのはちゃんとわかってる
淳《じゅん》ちゃ——ん
あんたの事《こと》もただの盛《さか》りがついたコギャルくらいにしか思《おも》ってなかったんじゃ…

コギャル？
あたしのどこがっ
しかも盛りがついたって……
オヤジからすりゃ女子高生《じょしこうせい》は全員《ぜんいん》コギャルでしょ
浅野《あさの》さんはオヤジじゃないよ！
まだギリギリ20代《だい》だし！
女子高生《じょしこうせい》からすりゃスーツ着てんのは全員《ぜんいん》オヤジだよ
紀香《のりか》カットにしたのがいけなかったのかな…
何《なん》の話《はなし》？
てゆーかそれ紀香カットだったの？
だからコギャルに見《み》られたのかも…
でも彼《かれ》は大人《おとな》だしあたしも少《すこ》しでも大人《おとな》っぽくしなきゃと思《おも》って
会《あ》える日《ひ》はセクシー系《けい》のワンピとか着《き》てがんばったのに！
あ———
それはいけなかったかもねぇ……
まっ盛りってカンジで
なんであたしってこー何《なに》をやってもうまくいかないんだろう
だいたい「ナナ」なんて名前《なまえ》が不吉《ふきつ》なんだよ
ノストラダムスの予言《よげん》には出《で》て来《く》るし
映画《えいが》の『セブン』は怖《こわ》かったし…
ラッキーセブンなんてうそ！
呪《のろ》われた運命《うんめい》ってゆーか…
いや———
あんたがたとえ「ハチ」とかでもやつは東京《とうきょう》へ行《い》くと思《おも》うけど？
でも東京《とうきょう》か
いーなぁ
やっぱあたしも東京《とうきょう》の美大《びだい》受《う》けりゃよかったな
そんな！
淳《じゅん》ちゃんまで東京《とうきょう》行《い》っちゃったら生《い》きてけないよあたし！

でもわかるよ 淳《じゅん》ちゃん！
やっぱ あこがれるよね 東京《とうきょう》♡ おしゃれな店《みせ》とか いっぱいあるし
まーね
スーパー 美容師《びようし》とかに 髪切《かみき》って もらえるし♡
そーいや F駅《えき》のそばに かわいい美容院《びよういん》 出来《でき》てたな―― 行《い》こっかな
パーマかけたいし
よし！ 行《い》こう！
え？ 切《き》るの？ 髪《かみ》 今《いま》どき失恋《しつれん》ごときで
次《つぎ》の恋《こい》に向《む》けて コギャルに 見《み》られない 髪型《かみがた》にするの！
でも もう今日《きょう》で 高校《こうこう》も卒業《そつぎょう》だし どーせ コギャルじゃ なくなるよ？
♪ほーたーるのーひーかーりー
うそ！ 卒業式《そつぎょうしき》始《はじ》まってるよ 淳《じゅん》ちゃん！
やっぱ～

思《おも》い起《お》こせば私《わたし》の高校生活《こうこうせいかつ》は
恋《こい》に始《はじ》まり恋《こい》に終《お》わった
と言《い》っても過言《かごん》ではないでしょう
答辞《とうじ》（調《ちょう》）
あれは高《こう》1の春《はる》
出会《であ》いなんか望《のぞ》めないと落胆《らくたん》して入《はい》った女子高《じょしこう》で
美術《びじゅつ》の岡本先生《おかもとせんせい》(25)に一目惚《ひとめぼ》れしました
べつに美術《びじゅつ》は得意《とくい》ではなかったけれど
同《おな》じクラスで仲良《なかよ》しになった淳《じゅん》ちゃんと美術部《びじゅつぶ》に入《はい》る事《こと》に決《き》めました
あたしはもともと得意《とくい》なのよ
上手《じょうず》に描《か》けたね
えへっ♡
おかげで絵《え》を描《か》くのは大好《だいす》きになったけど
やっぱり告白《こくはく》すればよかったんだ
告《コク》らなきゃ何《なに》も始《はじ》まらない
次《つぎ》は必《かなら》ず！
これといった進展《しんてん》もないまま1年後《ねんご》 彼《かれ》は別《べつ》の高校《こうこう》へ去《さ》って行《い》きました
先生《せんせい》…
同《おな》じ髪型《かみがた》目指《めざ》して前髪《まえがみ》のばしてたのに…
まーーーね
いきなり終《お》わる可能性《かのうせい》もあるけどねー

次《つぎ》の出会《であ》いはすぐにやって来《き》ました
ご返却《へんきゃく》は？
中村
家《いえ》の近所《きんじょ》にオープンしたレンタルビデオ屋《や》の店員《てんいん》おしゃれな中村《なかむら》さんです（推定《すいてい》23）
明日《あした》♡
青春ラブロマンス
私《わたし》は彼《かれ》会《あ》いたさに毎日《まいにち》ビデオ屋《や》に通《かよ》いつめ
同じ前髪にしてみた
おかげで映画《えいが》が大好《だいす》きになったけど
ある日《ひ》思《おも》いきって話《はな》しかけたら冷《つめ》たくあしらわれてしまいました
あの！
彼女《かのじょ》にして下《くだ》さい！
お客様《きゃくさま》
困《こま》ります
貸出カウンター
ご返却は？
いきなりあんな事《こと》言《い》ったのがいけなかったんだ
次《つぎ》はもっと慎重《しんちょう》に！
いや――――
慎重《しんちょう》に攻《せ》めてもダメなもんはダメだよ
それからも出会《であ》いはあったものの
ジュ――ッ
バイト先《さき》の厨房《ちゅうぼう》のシブイ川崎《かわさき》さん（35）
なぜだかいつも空回《からまわ》りで
まいどっ
吉田
宅配《たくはい》ピザのさわやか吉田《よしだ》さん（推定《すいてい》20）
きっとあたしに魅力《みりょく》がないのがいけないんだよ
だからダイエットする事《こと》にしたの
めざせ紀香ボディ！
ダイエットビスケ
そーゆー問題《もんだい》か？
だいたいあんたなんでそー一目惚《ひとめぼ》ればっかなの？
男《おとこ》は外見《がいけん》よかハートだよ？

確《たし》かに私《わたし》は人《ひと》より少《すこ》しばかり面食《めんく》いかもしれません
でも いくらかっこよくてもハートのない男《おとこ》はやっぱり嫌《いや》だし
映画《えいが》のヒーローはどうしてみんなあんなステキなの？
あんなかっこよくて優《やさ》しくて紳士的《しんしてき》な男《おとこ》どっかに転《ころ》がってないかな…
ふら
ふら
あれれ？
なんか目《め》が回《まわ》る
よろ…
次《つぎ》はもっと相手《あいて》とじっくり知《し》り合《あ》ってから恋《こい》をしようと
反省《はんせい》したのもつかの間《ま》でした
それは高《こう》3の夏《なつ》の始《はじ》まり
とうとう彼《かれ》に出会《であ》ってしまったのです
君《きみ》
どうしたんだ大丈夫《だいじょうぶ》？

あ……
すいませ…
大丈夫《だいじょうぶ》
いえ…ほんと平気《へいき》…
無理《むり》しないで
顔《かお》が真《ま》っ青《さお》じゃないか
ちょっとそこの長椅子《ながいす》に横《よこ》になりなさい
今《いま》何《なに》か飲《の》むもの買《か》って来《く》るからね
浅野崇《あさのたかし》(29)
今思《いまおも》うと偽名《ぎめい》かもしれませんが
年《とし》もサバよんでるかもしれませんが
一目惚《ひとめぼ》れでした
そんな事《こと》しなくても充分《じゅうぶん》かわいいのに
かわいいっ?
ダイエット?
はい……
それでちょっと時々《ときどき》めまいが…
よく1人《り》で映画館《えいがかん》に来《く》るの?
はいっ♡
やせてよかった♡
あの♡
映画《えいが》は大好《だいす》きです
でも1人《り》で観《み》るのが好《す》きってゆーか…

…
ああ わかるよ
同感《どうかん》だな
でも あなたとなら 一緒に観てもいい……♡
じゃあ僕《ぼく》は そろそろ…
顔色《かおいろ》も 良《よ》くなった みたいだし
あの!
あたし何《なに》か お礼《れい》を……
いや 気《き》にし ないで
もう遅《おそ》いし 気《き》をつけて 帰《かえ》るんだよ
かっこよくて
優《やさ》しくて
紳士的《しんしてき》
まさに 完《かん》ぺき!!
あの…
あたし この通《とお》り沿《ぞ》いの ファミレスでバイト してるんですけど!

よかったら今度《こんど》来《き》て下《くだ》さい
お礼《れい》に何《なに》かおごりますから
それから2週間《しゅうかん》
待《ま》てど暮《く》らせど彼《かれ》は現《あらわ》れなくて
私《わたし》の想《おも》いは募《つの》る一方《いっぽう》でした
もう会《あ》えないのかな
どうすれば会えるのかな
せめて名前《なまえ》くらい聞《き》いときゃよかった
ああああ
やけ食いしてやる
幻覚《げんかく》でも見《み》たんじゃないの？
ダイエットのしすぎで
そんな完《かん》ぺきな男《おとこ》が現実《げんじつ》にいるわけないじゃん
いたとしたら超《ちょう》うさんくさいよ
やめとけ
だから あの日《ひ》
バイトが終《お》わって店《みせ》を出《で》て
彼《かれ》が私《わたし》を待《ま》ちぶせしている事《こと》に気《き》づいた時《とき》には
もう どーーにも止《と》まらない位《くらい》
恋《こい》に落《お》ちていたのです

彼《かれ》の薬指《くすりゆび》に
指輪《ゆびわ》がある事《こと》は
すぐに
気《き》づいたけど
気《き》にしない事《こと》に
決《き》めました
盛《さか》りがついていたと言《い》われれば
それまでかもしれませんが
私《わたし》は彼《かれ》を本気《ほんき》で
愛《あい》していたし
愛《あい》されていると
信《しん》じていました

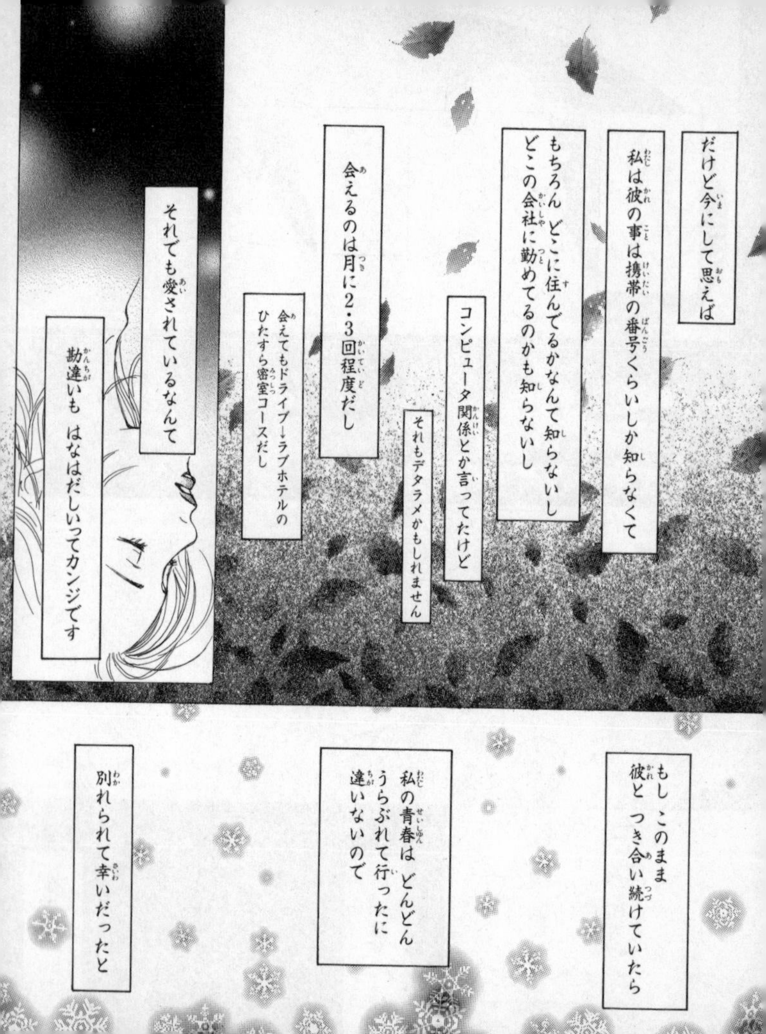
だけど今《いま》にして思《おも》えば
私《わたし》は彼《かれ》の事《こと》は携帯《けいたい》の番号《ばんごう》くらいしか知《し》らなくて
もちろん どこに住《す》んでるかなんて知《し》らないし
どこの会社《かいしゃ》に勤《つと》めてるのかも知《し》らないし
コンピュータ関係《かんけい》とか言《い》ってたけど
それもデタラメかもしれません
会《あ》えるのは月《つき》に2・3回程度《かいていど》だし
会《あ》えてもドライブ→ラブホテルの
ひたすら密室《みっしつ》コースだし
それでも愛《あい》されているなんて
勘違《かんちが》いも はなはだしいってカンジです
もし このまま
彼《かれ》と つき合《あ》い続《つづ》けていたら
私《わたし》の青春《せいしゅん》は どんどん
うらぶれて行《い》ったに
違《ちが》いないので
別《わか》れられて幸《さいわ》いだったと

私《わたし》は この春《はる》から 親友《しんゆう》の淳《じゅん》ちゃんと 地元《じもと》の美術学校《びじゅつがっこう》へ 通《かよ》い始《はじ》める予定《よてい》です
美術学校《びじゅつがっこう》は 共学《きょうがく》なので
素敵《すてき》な出会《であ》いを 期待《きたい》しつつ 一生懸命《いっしょうけんめい》 がんばります!
卒業生代表《そつぎょうせいだいひょう》 小《こ》松《まつ》奈《な》々《な》
NARUSE ART SCHOOL
奈《な》々《な》
つまり あんたはここへ 男《おとこ》あさりに来《き》たわけね?
…………

違《ちが》うよ淳《じゅん》ちゃん あたしはマジメに 絵《え》の勉強《べんきょう》がしたくて…
ほら服も こーんなに カジュアル
そりゃ よかった
どー見《み》ても その髪型《かみがた》じゃ 男《おとこ》にモテそーに ないもんねぇ
色気《いろけ》なし
なにもそこまで イメチェンしなくても
ざわ
ざわ
ざわ
うそっ！
磯野《いその》さんは 超《ちょう》かわいいって 絶賛《ぜっさん》してくれ たもん！
イソノ？ 誰《だれ》それ
マスオさんの？
あたしのカット 担当《たんとう》してくれた 美容師《びようし》さん♡
…………
どんな髪型《かみがた》に したいの？
好《す》きにして 下《くだ》さい♡
……
ああ あいつか
でも 磯野《いその》さん 結婚《けっこん》してるん だって
まだ21なのに
人生 早まっちゃって
しょーがないな あきらめるか
ガく〜〜っ
へーー
あんた そーゆーの 気《き》にしないんじゃ なかったっけ
淳《じゅん》ちゃん!!
それは 言わない 約束！

これでも反省《はんせい》してるんだよ
きっと人《ひと》のダンナ様《さま》に手《て》を出《だ》したりしたから
大魔王《だいまおう》の怒《いか》りに触《ふ》れちゃったんだと思《おも》うの…
大魔王《だいまおう》？
それと あたし重大《じゅうだい》な事《こと》に気《き》づいたんだけど
あたしが今《いま》まで好《す》きになった人《ひと》って年上《としうえ》ばっかじゃん？
べつにファザコンとかじゃないのに！
それは重大《じゅうだい》な事《こと》なの？
相手《あいて》が年上《としうえ》だからうまく行《い》かなかったのかも
この学校《がっこう》なら同《おな》い年《どし》の子《こ》がたくさんいるし
同《おな》い年《どし》ならきっと話題《わだい》とかも合《あ》って意気投合《いきとうごう》出来《でき》るし
素敵《すてき》な恋《こい》が生《う》まれそうな予感《よかん》♡
やっぱり男《おとこ》あさりに来《き》たんじゃん
あ Bの3ここだ
とにかくもう一目惚《ひとめぼ》れはやめなよ？ 奈々《なな》
次《つぎ》は相手《あいて》の本質《ほんしつ》をよく見抜《みぬ》いてから…
って聞《き》いてる？

瞳《ひとみ》のキレイな
男《おとこ》の子《こ》と
目《め》が
合《あ》ってしまった
え？
何《なに》？
なんで？
こっちに
来《く》る～～～～～

淳子《じゅんこ》！
淳子《じゅんこ》だろ？
章司《しょうじ》？
そーだよ章司《しょうじ》だよ！
うわーー髪《かみ》のびてるからわかんなかったよ
……
なっつかしいなあおい！
中学卒業以来《ちゅうがくそつぎょういらい》だから3年《ねん》ぶり？
そんな事《こと》よりなんで あんたがここにいるの？
しかも同じクラスって……
最悪《さいあく》
あ？
また騒《さわ》がしいのが1人《りふ》増えたよ
もーやだ
淳《じゅん》ちゃんてばこんな切《き》り札《ふだ》隠《かく》し持ってたなんて……
それでヨユーで今まで彼氏作らなかったのかな
あ
友達《ともだち》？
騒《さわ》がしいの？
どきっ
うん
女子高《じょしこう》からのくされ縁《えん》でさ
さわがしーのなんのって
お名前《なまえ》は？
小松奈々《こまつなな》です
営業スマイル
はじめまして

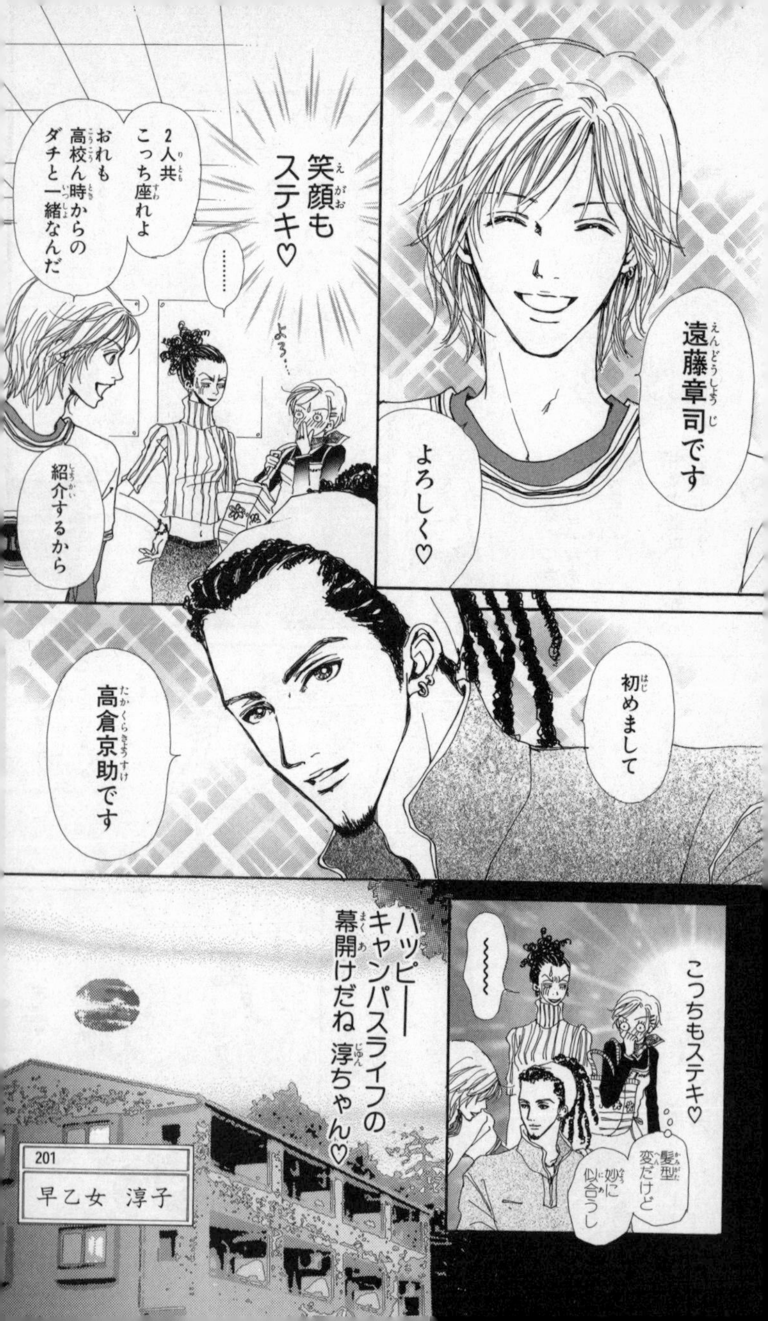
遠藤章司《えんどうしょうじ》です
よろしく♡
笑顔《えがお》もステキ♡
………
よろ…
2人《り》共《とも》こっち座《すわ》れよ
おれも高校《こうこう》ん時《とき》からのダチと一緒《いっしょ》なんだ
紹介《しょうかい》するから
初《はじ》めまして
高倉京助《たかくらきょうすけ》です
こっちもステキ♡
〜〜〜
髪型《かみがた》変《へん》だけど妙《みょう》に似合《にあ》うし
ハッピーキャンパスライフの幕開《まくあ》けだね 淳《じゅん》ちゃん♡
201
早乙女 淳子

キャンパスライフがどーーしたってぇ？
だいたいあたしら大学生《だいがくせい》じゃないし
専門学校生《せんもんがっこうせい》だし
ごめんなさい つい浮《う》かれちゃって…
でも大丈夫《だいじょうぶ》わかってるよ淳《じゅん》ちゃん 章司《しょうじ》くんは淳《じゅん》ちゃんの持《も》ち札《ふだ》だもんね 横取《よこど》りしたりしないから安心《あんしん》して
持《も》ち札《ふだ》？
あんたなんか勘違《かんちが》いしてない？
あたしは あんたの以前《いぜん》にも増《ま》した節操《せっそう》のなさをとがめてるだけで章司《しょうじ》の事《こと》は ただの友達《ともだち》としか思《おも》ってないけど
うそつきっ
大魔王のバチがあたるよ
あんなかっこいい男《おとこ》の子《こ》と同《おな》じクラスだったなら好《す》きになるはずだよ絶対《ぜったい》！
うちの中学なんてイモ畑だったのにズルイ！
あたしは あんたとは違《ちが》うの！
中学《ちゅうがく》の時《とき》は男友達《おとこともだち》なんていっぱいいたし いちいちホレたりしないよ めんどくさい
だいたい章司のどこがかっこいーの？
男友達《おとこともだち》がいっぱい…
そっか……いーな そーゆーの
あこがれる……
そーいえば あたし今《いま》まで男友達《おとこともだち》なんて1人《り》もいなかった…
なんで？
あーー あんたは男《おとこ》を同《おな》じ人間《にんげん》とゆーより雄《オス》として見《み》るからねぇ
なるほど そーか…
メカラウロコ
同《おな》じ人間《にんげん》として……

よし 決《き》めた！
あたし章司《しょうじ》くんと京助《きょうすけ》くんと友達《ともだち》になる！
は？
友達《ともだち》って決意《けつい》してなるもんなの？
自然のなりゆきじゃんの？
でも決意《けつい》しとかないと…
うっかりホレちゃうかもしれないし……
いや ホレたらホレたでしょーがないとは思《おも》うけど
まあ あんたの場合《ばあい》まずは友達《ともだち》から入《はい》るのはいい経験《けいけん》かもね
ありがとう淳《じゅん》ちゃん！あたしがんばる！
………
何を？
♫ピンパラピロピロピ～♫
ケータイ鳴《な》ってるから離《はな》して
はい
…あ 章司《しょうじ》？
ドキッ！
いや待《ま》てドキドキしなくていーんだった友達《ともだち》なんだし
スポッ！
うんいーよ
ちょーヒマ
じゃあ家《うち》おいでよ
うん奈々《なな》もいるよ
あ ビール買《か》って来《き》てよ
つまみも！

ちーーっス
酒じゃっ
おじゃまします
おーー いい部屋《へや》じゃん
地元民《じもとみん》なのにひとり暮《ぐ》らしとはぜーたく者《もの》め
けしからんな
だって家《うち》から学校《がっこう》遠《とお》いんだもん
きっんちょ〜
おれだって遠《とお》いのに野《の》を越《こ》え山《やま》越《こ》え
ははっ
章司《しょうじ》はばーちゃんと離《はな》れて暮《く》らすのが寂《さび》しいんだよな
実《じつ》はそーなの
どさっ
ビクッ
高倉くんは家どこ？
ここの近所
へー近所ってどのへんの？
……
コンビニの裏のへん
……
へーマジで近いね徒歩5分位？
なんか奈々《なな》ちゃんおとなしーね
騒《さわ》がしーんじゃなかったっけ
もしや人見知《ひとみし》りするタチ？
友達《ともだち》友達《ともだち》
いえ
そんな事《こと》ないっス！

…………
そーっスか？
しまった！ 友達《ともだち》に敬語《けいご》使《つか》うのは変《へん》かも
……
しかも体育会系
かぁぁ
あ もしかして 女子高《じょしこう》だったから 男《おとこ》が苦手《にがて》とか？
いーじゃん 今日《きょう》は とことん 腹割《はらわ》って話《はな》して 親睦《しんぼく》を深《ふか》めましょーよ
ははっ
告白大会《こくはくたいかい》？ なんかこえーな
そうか……
男友達《おとこともだち》だから 腹割《はらわ》んなきゃ いけないんだ…
友達になるのも大変だな
あはは
全然《ぜんぜん》そんな事《こと》 ないよね 奈々《なな》には つい最近《さいきん》まで 彼氏《かれし》もいたし
へー
淳《じゅん》ちゃん!!
ビクッ
よし！ じゃー とりあえず 乾杯《かんぱい》だな！
早《はや》いとこ 酔《よ》っぱらって しまおう
そしたら きっと緊張《きんちょう》も ほぐれる
それでね その次《つぎ》 一目惚《ひとめぼ》れ しちゃったのは
宅配《たくはい》ピザの「さわやか吉田《よしだ》さん」！

あはは
さわやか吉田《よしだ》!
だって さわやか なんだもん♡ 笑顔《えがお》が! ちょ―― さわやか!
きゃ―♡
ひ――
も―― うるさ―― そこの2人《り》! 飲みすぎっ
ゲラゲラ
あはは
でもね ピザばっかとって 3キロも太《ふと》っちゃったのに 彼《かれ》ったらバイトをやめて しまったのか二度《にど》と家《うち》へは 来《こ》なくなったの
太《ふと》り損《ぞん》!
あはは
おもしれ 奈々ちゃん サイコ―
ぐびぐび
奈々《なな》! それ以上《いじょう》 飲《の》むな!
ま― い―じゃん
おもろいし
で 次《つぎ》は?
次《つぎ》は誰《だれ》?
次《つぎ》の人《ひと》は ね――♡
あはは
マジに まだ いるんかっ
ゲラゲラ
次《つぎ》の人《ひと》は
名前《なまえ》も知《し》らない 人《ひと》だった

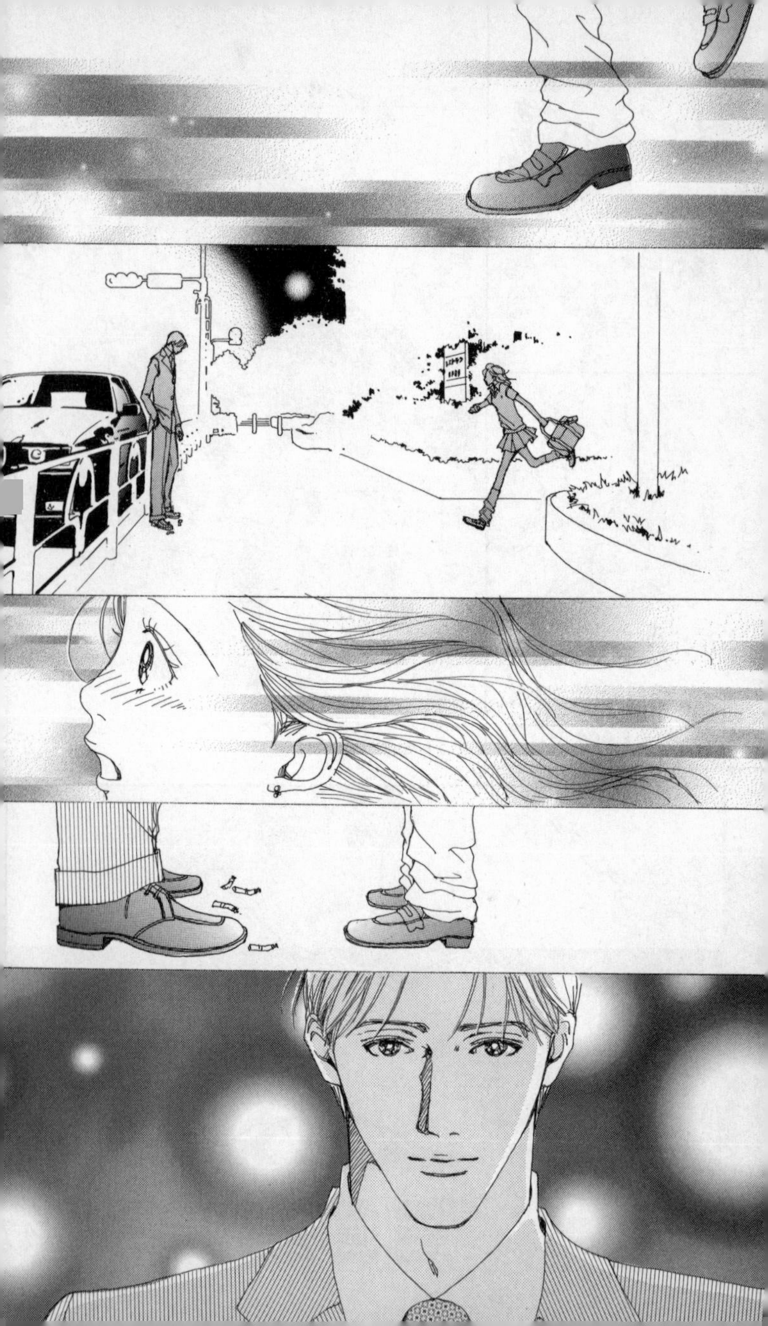

もう…
会《あ》えないのかと思《おも》った
名前《なまえ》も…
聞《き》いてなかったし…

浅野《あさの》
崇《たかし》
やめて……

そんな名前《なまえ》
どうせ デタラメのくせに
奈々《なな》……
カタ…
泣《な》き上戸《じょうご》?
おいおい どーした いきなり
奈々《なな》ちゃ…
いや!!
ばっ
奈々《なな》!
………
いや……?
ごめん章司《しょうじ》! 気《き》にすんな!
もー奈々《なな》 あんた飲《の》みすぎ だって
気《き》にするよ
淳《じゅん》ちゃ……
触《さわ》らないで あたしのこと

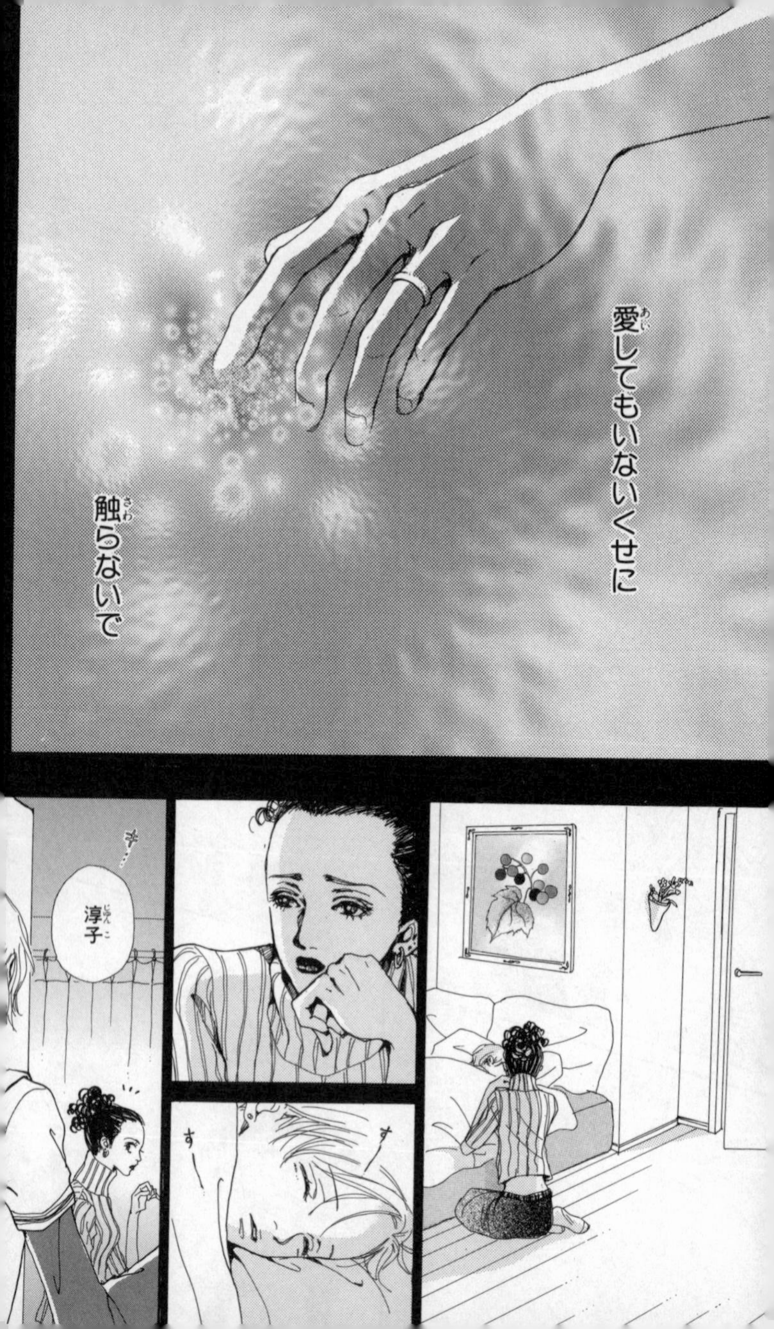

愛《あい》してもいないくせに
触《さわ》らないで
す
すー
キ…
淳子《じゅんこ》

おれ そろそろ帰《かえ》るよ 終電《しゅうでん》なくなるし
あ そっか あんた遠《とお》い もんね
なんなら 泊《と》まってけば？ 部屋《へや》2つあるし
いや いーよ
ただ さあ
京助《きょうすけ》 寝《ね》ちまったん だけど… 転《ころ》がしといて いい？
ああ いーよ べつに
すぴー
すまんねぇ 起《お》きたら勝手《かって》に 帰《かえ》るだろーよ
………
あのさあ 章司《しょうじ》
あんた彼女《かのじょ》 いないよね？
おれに ホレたか 淳子《じゅんこ》
………
なんだよ その顔《かお》はっ
ほんとおめーは かわいげねえな むかしっから
おれだって高校《こうこう》ん時《とき》は 彼女《かのじょ》の5人《にん》や10人《にん》 いたんだっ
見《み》せてやりたかったぜ おれのモテモテっぷりを

今《いま》は たまたま いないだけサ
くすっ
くすっ？
やっぱりね
あんた今日《きょう》 奈々狙《ななねら》いで 家《うち》に来《き》たでしょ
ほんと わかりやすい やつだよ むかしっから
……
でも奈々《なな》ちゃん おれの事《こと》嫌《きら》い…？
「いや」って……
そーでも ないんじゃない？
奈々《なな》 あんたの事《こと》 一目見《ひとめみ》て「ステキ♡」 とか「かっこいー♡」 とか色々《いろいろ》言ってたし
うそっ
まあ せーぜー がんばれよ
ポン
なにそれっ
とりもって やろーとか やさしー心は ねえのかよ！
ピチチ…
ぱちっ

…………
ここはどこ?
ズキッ
!!
あつたま
イタ〜〜〜〜〜〜
何《なに》これっ
ガン
ガン
ガン
アル……
アルマゲドンの。
ああ そうか
ここ淳《じゅん》ちゃんの部屋《へや》だ
章司《しょうじ》くんと京助《きょうすけ》くんが
ビール持《も》って来《き》て
乾杯《かんぱい》して思《おも》つきり
飲《の》んで騒《さわ》いで…
どんちゃん♪
……
なんかよく思《おも》い
出《だ》せないけど楽《たの》し
かった気《き》がする♡
男友達《おとこともだち》って
いーもんだね
淳《じゅん》ちゃん!
しかし……
もー外《そと》が
明《あか》るいんですけど
家《いえ》に電話《でんわ》
入《い》れてないよ
やっば〜
ガン
ガン
ガン
淳《じゅん》ちゃーーーん
カタ…
頭痛薬《ずつうやく》…

ばっ
ガタッ
いや ほら なんて ゆーかさ
EVE
頭痛薬
一晩《ひとばん》じっくり 話《はな》してみたら 意気投合《いきとうごう》したって ゆーか
それで ついねえ…
ぐびぐび
何《なに》言《い》いわけ してんだろ
魔《ま》が さした ってゆーか
いや おれは淳子《じゅんこ》の事《こと》 一目《ひとめ》見《み》た時《とき》から いいなと思《おも》ってたけど
ぼっ
コーー

よく言《い》った京助《きょうすけ》!
あんたはエライ!
恋《こい》に落《お》ちるのは理屈《りくつ》ではない!
あはは
奈々《なな》ちゃんは一目惚《ひとめぼ》れの鉄人《てつじん》だもんな
え?
鉄人《てつじん》てなんで知って……
淳《じゅん》ちゃんのおしゃべりっ
自分《じぶん》でしゃべったんじゃん覚《おぼ》えてないの?
うそ…
ガン
ガン
ガン
ガン
あーもうこんな時間《じかん》か
おれいったん家戻《うちもど》って着《き》がえてから学校《がっこう》行《い》くよ
ガた…
奈々《なな》は戻《もど》ってたら遅刻《ちこく》だねなんか服《ふく》貸《か》そーか
昨日《きのう》の晩《ばん》あんたん家《ち》電話《でんわ》しといたからさ
腹《はら》くだして動《うご》けないからうち泊《と》まらすってよ
話《はな》し合《あ》わせといてよ聞《き》いてる?
しゃべったって…
ガン ガン ガン
しゃべったって何《なに》をどこまで…
だから美術《びじゅつ》の岡本《おかもと》から始《はじ》まって
ビデオ屋《や》の中村《なかむら》
厨房《ちゅうぼう》の川崎《かわさき》
ピザ屋《や》の吉田《よしだ》
全《すべ》ておもしろおかしくしゃべってたよ
そんなバカな…

でも奈々《なな》
浅野《あさの》さんの事《こと》
まだ忘《わす》れられないんだね
まああたりまえか
そんな事《こと》ないよ もー忘《わす》れたよ あんなデタラメなやつのことは!
おもしろおかしく人《ひと》にしゃべっちゃうくらい!
いや泣《な》いてたよ
あいつの話《はなし》は あんた泣《な》いちゃって なんにもしゃべんなかった
ねえ 奈々《なな》
章司《しょうじ》の事《こと》気《き》に入《い》ったんならさ
あたし取《と》りもったげるよ♡
淳《じゅん》ちゃん…?
どーしたの急《きゅう》に…
セリフたハートマークつけて
自分《じぶん》だけ京助《きょうすけ》とデキちゃった事《こと》がそんなにうしろめたい?
そーじゃなくて

章司《しょうじ》は すごく いーやつだから
恋人《こいびと》に対《たい》しても きっと誠実《せいじつ》な男《おとこ》だと 思《おも》うんだ
あいつなら 奈々《なな》の事《こと》 大事《だいじ》にして くれるよ
あたしが 保証《ほしょう》する
淳《じゅん》ちゃーーん♡
あたし 淳《じゅん》ちゃんが 男《おとこ》だったら絶対《ぜったい》 淳《じゅん》ちゃんの 彼女《かのじょ》になる のにな♡
え！ 嫌《いや》だよ あたしは！
あんたなんかっ マジでいやっ
でもいいの 章司《しょうじ》くんとは せっかく友達《ともだち》に なれたんだもん
は？
章司《しょうじ》くんは大事《だいじ》な 男友達《おとこともだち》だよ？
彼氏《かれし》なんかにしたら もったいないじゃん
彼氏《かれし》なんか？
彼氏《かれし》より 男友達《おとこともだち》のが レベルが上《うえ》なの？
淳子ーーっ
奈々ちゃーーん

おはよう！
よかった 元気《げんき》そーだな 奈々《なな》ちゃん
超元気《ちょうげんき》だよ♡ 二日酔《ふつかよ》いで頭痛《あたまいた》かったけど 薬飲《くすりの》んだら治《なお》ったし
章司《しょうじ》は昨日《きのう》いつの間《ま》に帰《かえ》ったの？
………
「章司」って…… いーけど……
終電《しゅうでん》で
おれ ばーちゃんの子守歌《こもりうた》がないと寝《ね》つけなくて
あはは
マジ？
まあ いつか
なるよーになるさ
シャキッ
映画《えいが》？
おう♡
……
奈々《なな》ちゃん昨日《きのう》映画好《えいがす》きって言《い》ってたろ？
今度《こんど》の日曜《にちよう》とかヒマだったら一緒《いっしょ》に観《み》に行《い》かねえ？
ごめん
～～～
あたし映画《えいが》は1人《り》で観《み》る主義《しゅぎ》なの
隣《となり》の席《せき》に友達《ともだち》がいたら気《き》が散《ち》るってゆーか…

……
友達…？
ダメだこりゃ
……
ああ わかるよ
同感《どうかん》だな
シャキッ
医務室
いたあ
何《なに》やってんだか
コポッ
消毒液
血《ち》の色面構成《しきめんこうせい》？

うう〜
痛《いた》いよぉ…
そんなにあたしが許《ゆる》せないの？ 大魔王《だいまおう》
大魔王《だいまおう》？
恐怖《きょうふ》の大王《だいおう》だよ
たたられてるんだよ あたし…
なんじゃそら
自分《じぶん》がどんくせーだけじゃん
ほら手《て》ェ出《だ》して
痛《いた》い〜〜 しみる〜〜〜 やめて！
しょーがねえだろ！
ガキかっ
ほっといたら化膿《かのう》してどんどん痛《いた》くなるぞ？
それでもいーんかっ
ほっといたらどんどん…
浅野《あさの》さんの事《こと》 まだ忘《わす》れられないんだね
忘《わす》れられないどころか
化膿《かのう》してくよ 淳《じゅん》ちゃん

時間《じかん》が経《た》てば経《た》つほど
思《おも》い返《かえ》せば思《おも》い返《かえ》すほど
彼《かれ》の一挙一動《いっきょいちどう》が
全《すべ》て嘘《うそ》だったように思《おも》えて
気《き》が遠《とお》くなるくらい痛《いた》い
このままだと
体中《からだじゅう》が
腐《くさ》りそうだ
そんなの いやっ！
落《お》ちつけ！ もう大丈夫《だいじょうぶ》だから 手《て》当《あ》ては完璧《かんぺき》だ
こんな傷《きず》 すぐ治《なお》るから

ありがとう…
優《やさ》しいね 章司《しょうじ》
いや そんなこと…
ちょっと あるけど
ねえ 章司《しょうじ》
恋《こい》の傷《きず》は どーすれば 治《なお》るかなあ
……鯉《コイ》……?
じゃなくての。
あたしはね
やっぱり新《あたら》しい恋《こい》を するしかないと思《おも》うの
どー 思《おも》う?
………
そー思《おも》う
奈々《なな》……

よぉし決《き》めた！
ビクッ
章司《しょうじ》
この町《まち》で一番《いちばん》オシャレな若者《わかもの》が集《つど》う場所《ばしょ》ってどこだと思《おも》う？
若者《わかもの》？
そう！
スーツとか着《き》てない若々《わかわか》しい者《もの》！
？
………ゲーセンとか？
ダメダメ
あそこはガキもいるしオヤジだっているじゃん
だいいちオシャレでない
じゃあやっぱクラブかなぁ
ビンゴ!!
？
恋《こい》をしなくちゃ
淳ちゃん♡
今日の夜4人でクラブ行こー
クラブー♡
??
いーけど…
クラブならこの近くにいー店あるぞ
もっともっとたくさん恋《こい》をして

こんな　みじめな自分《じぶん》は
闇《やみ》に葬《ほうむ》るんだ
CLUB
Cosmic Connection
81
ギ…
奈々《なな》

やっぱりここにいた
あ〜〜〜♡かっこい──な──DJ《ディイジェー》の松下《まつした》くん!
超《ちょう》ステキ超《ちょう》クール
きゃ──♡
そんなに好《す》きなら本人《ほんにん》に言《い》えば?
運《うん》がよけりゃ彼女《かのじょ》にしてもらえるかもよ?
それはイヤッ松下《まつした》くんモテるしいー気《き》になってそーだし
女《おんな》とっかえひっかえしてるって噂《うわさ》だしろくなやつじゃないよ絶対《ぜったい》
女《おんな》の敵《てき》!
じゃあホレるなよ
あ! いいカンジそのつっこみ具合《ぐあい》
なんか章司《しょうじ》淳《じゅん》ちゃんに似《に》て来《き》たね
これからは章ちゃんて呼ぼーかな
おまえといたら誰《だれ》でもこーなるって!
でも淳《じゅん》ちゃん最近《さいきん》あんましつっこんでくれないんだよ
京助《きょうすけ》とラブラブですっかり丸《まる》くなっちゃったってゆーか骨抜《ほねぬ》き?
はりあいなくてさ

でもいーや♡
あたしには章司《しょうじ》がいるし!
しょせん おれは淳子《じゅんこ》の代《か》わりか
ところで章《しょう》ちゃん わざわざ あたしを探《さが》しに来《き》たりして何《なん》か急用《きゅうよう》?
地下《ちか》だからケータイつながんなかった? ごめんネ
章《しょう》ちゃんて呼《よ》ぶな
駅前《えきまえ》の居酒屋《いざかや》で京助達《きょうすけたち》と飲《の》んでたんだけど おまえも誘《さそ》ってやろーかと思《おも》って
あとで仲間《なかま》ハズレにしたとか文句《もんく》言いそーだし
わー!!♡
行く 行く
飲も— 飲も——
なんか おれ達 飲んでばっかだね
でも他にゴラクがないっつーか
さわやかに 海とか行きて——なぁ
夏だし
ねえ もーすぐ 夏休《なつやす》みだし 4人《にん》で旅行《りょこう》でも 行《い》かない?
海《うみ》!!
ザァ…

はー♡
やっぱ海《うみ》は いいね
青春《せいしゅん》を 感《かん》じるね
結局 飲んでる→
山《やま》は 見飽《みあ》き たしなっ
Sea Side hotel
あはは
確《たし》かに山《やま》は 見飽《みあ》きたよな
ふぅ~
あたし も—— 眠《ねむ》いや
あらそう 淳《じゅん》ちゃん♡
じゃあ そろそろ おいとま しようかしら
何《なに》言《い》ってんだ 奈々《なな》 ここはおまえと 淳子《じゅんこ》の部屋《へや》だろ
も—— よっぱらったか
京助《きょうすけ》に 譲《ゆず》るわ♡
あたしは 章司《しょうじ》と 寝《ね》るし
ええっ!?
何言って….
も—— 気《き》がきかないな 章司《しょうじ》は
早《はや》く 行《い》こっ
おいっ
…………
パタン
なんだ
心配《しんぱい》しなくても うまく行《い》き そーじゃん あいつら
そー簡単《かんたん》に うまく いくかなぁ

何考《なにかんが》えてんだよ おまえ…
べつに平気《へいき》だよ ベッドもふたつあるし 襲《おそ》ったりしないから 安心《あんしん》して♡
なんなら ばーちゃんの代《か》わりに 子守歌《こもりうた》 歌《うた》ってあげるよ
歌《うた》わんでいい！
おまえは平気《へいき》でも おれは平気《へいき》じゃねえ
襲《おそ》うぞ！
なんで…？
……なんでって…
あたし達《たち》 友達《ともだち》でしょ？
……………
奈々《なな》……
おまえ 男《おとこ》とゆーものを ほんとなんにも わかっちゃいねぇな
男《おとこ》はべつに 恋愛感情《れんあいかんじょう》なんか なくても やりたきゃ やれるんだよ！

そんなのわかってるもん……
でも章司《しょうじ》だけはそんなやつじゃないって信《しん》じてたのに…
淳《じゅん》ちゃんも保証《ほしょう》してくれたし…
そんなやつだよ悪《わる》いけど!
淳子《じゅんこ》が何《なに》を保証《ほしょう》したか知《し》らんが…
てゆーかおまえなんで泣《な》くの?
だって章司《しょうじ》の事《こと》大好《だいす》きなのにそんな幻滅《げんめつ》するよーな事《こと》言《い》うから!

いやあのさ奈々《なな》…その大好《だいす》きってゆーのは…友達《ともだち》としてなんだよね?
そーだよ?
章司《しょうじ》は誰《だれ》よりも大切《たいせつ》な男友達《おとこともだち》だよ!
雄《オス》としてなんかじゃなくて1人《り》の人間《にんげん》として好《す》き!
オスッ?
でもそーよね
章司《しょうじ》もしょせん雄《オス》の1人《り》だし同《おな》じ部屋《へや》で寝《ね》るのは危険《きけん》かもしれない…
あたしが間違《まちが》ってた
男女《だんじょ》の友情《ゆうじょう》をはぐくむのって難《むずか》しいね章《しょう》ちゃん
………
でもがんばろうね!
じゃああたし自分《じぶん》の部屋《へや》に戻《もど》るから
すくっ
待《ま》て奈々《なな》! それはマズイ!
たぶんまっ最中だし!
そっか…どーしよー
いつ頃《ごろ》終《お》わるかなぁ
………
おれに聞《き》かれてもなぁ
人それぞれだし
困《こま》ったね
電話して様子うかがうのもなんだし…
………

よし わかった奈々《なな》 そこで寝《ね》ろ！
おれは あっちのベッドで寝《ね》る
おやすみっ
ダメだよ章司《しょうじ》！ それは危険《きけん》だよ！
心配無用《しんぱいむよう》！
なんで？
おまえさっき おれの事《こと》 幻滅《げんめつ》したって 言《い》ったよな
その失《な》くした 信用《しんよう》を 取《と》り戻《もど》す！
友情のために☆
章司《しょうじ》……
大好《だいす》き♡
♪ねーん ねーん ころーりーよ♪
歌《うた》わんで いい!!
あはあは

笑《わら》い事《ごと》じゃねえよ も——
おかげで おれは一睡《いっすい》も出来《でき》ズ
今日《きょう》 海《うみ》に入《はい》ったらきっと死《し》ヌ
それは お疲《つか》れ様《さま》 章《しょう》ちゃん♡
章ちゃんて ゆーな
これからも奈々《なな》の事《こと》ひとつよろしくね
はいはい
しょせん 友達《ともだち》だけどね
これで あたしは安心《あんしん》して東京《とうきょう》に行《い》けるよ
淳ちゃーん
おいでよ—
一緒に泳ゴーよ—
コン…
PANY. LIMITED
BEER
R BEER
ービール

あんま焼《や》くと あとで泣《な》くぞ おまえ
メラニン少ねえのに
京助《きょうすけ》 淳子《じゅんこ》 東京《とうきょう》 行《い》くの？
…
ああ 聞《き》いたんか
なんで？
何《なに》しに？
それは 旅行《りょこう》でなくて？
来年《らいねん》 東京《とうきょう》の美大《びだい》 受《う》けるんだよ
落《お》ちても東京《とうきょう》の 予備校《よびこう》に…
受《う》かるって 淳子《じゅんこ》なら！
てゆーか いーの？ おまえ
なんで そんな 冷静《れいせい》なの？
なんでって…
おれも 行《い》くから
ザァ・・・・

やだ やだ やだ やだ やだ
行《い》っちゃやだよ 淳《じゅん》ちゃ〜〜〜ん
……
おれの事《こと》は止《と》めてくんないの？ 奈々《なな》
ちょっとさみしーんだけど
そっか！
京助《きょうすけ》が行《い》くのやめたらきっと淳《じゅん》ちゃんも行《い》かないよね！
行《い》かないで京助《きょうすけ》〜〜〜
わああ
……
もーーいーかげんにしてよ 奈々《なな》！
あたしは京助《きょうすけ》が行《い》かなくても行《い》くの！
東京《とうきょう》の美大《びだい》でもっと本格的《ほんかくてき》に絵《え》の勉強《べんきょう》がしたいの！
あたしの人生《じんせい》なのよ あんたに指図《さしず》される覚《おぼ》えはない！

……ごめんなさい
そーだよね
淳《じゅん》ちゃんの
言《い》う通《とお》りだよ
でもあたし
寂《さび》しいよ
あの雪《ゆき》の日《ひ》より
もっと悲《かな》しいよ

ノストラダムスの予言《よげん》は
この事《こと》だつたんだよ
ザァァ……
あのさあ 奈々《なな》…
おれも 東京《とうきょう》の美大《びだい》 受《う》けてみたいん だけど

おまえも受《う》けれぱ？
バサバサバサ
A美術大学
S ART UNIVERSITY
入試案内
東京M芸術大
【生徒募集要項】
TOKYO F ART COLLEGE

うそ すごーーい
東京《とうきょう》って こんな たくさん 美大《びだい》あるんだ
これだけあれば きっとどっか 受《う》かるよね!
おう! 片《かた》っぱしから 受《う》けりゃいーじゃん
べつに大学《だいがく》がダメでも また専門学校《せんもんがっこう》とかでも いーし あたし!
……
なんじゃ そら
そんな事《こと》して なんか意味《いみ》 あるんか
あたしの 人生《じんせい》なのよ あんたに指図《さしず》 される覚《おぼ》えは ない!
だって… あたしも みんなと 東京《とうきょう》行《い》きたい…
好《す》きに すれば?
ゴッ
あんたの人生《じんせい》が どーなろーと知《し》った こっちゃないよ

淳ちゃーーん♡
見離《みはな》したのに
なぜ喜《よろこ》ぶ！
がんばらなくちゃ！
ギュッ
もう夜遊《よあそ》びはしない！
クラバーも卒業《そつぎょう》！
さよならDJ《ディージェー》松下《まつした》くん(20)！
どこぞの女《おんな》とお幸《しあわ》せに！
めざせ東京
くたばれ大魔王
禁酒
あたしは今《いま》恋《こい》にうつつをぬかしている場合《ばあい》ではないの
それに東京《とうきょう》へ行《い》けば
きっとステキな人《ひと》なんてゴロゴロいるし
おしゃれな店《みせ》とかいっぱいあるし
スーパー美容師《びようし》に髪《かみ》切ってもらえるし
恋《こい》も遊《あそ》びも大充実《だいじゅうじつ》だ！

ワンダフル東京《とうきょう》ライフの幕開《まくあ》けだね淳《じゅん》ちゃん！
本物《ほんもの》のキャンパスで！
東京F美術大学
T美術大学

いや――
やっぱ人生《じんせい》 そー上手《うま》くは 転《ころ》ばないやね
でも なんで…？ あんなに がんばったのに
こんな片《かた》っぱしから 落《お》っこちるなんて… やっぱ あたし呪《のろ》われた 運命《うんめい》なんだ……
魔王《まおう》のせーにすんなよ
大魔王《だいまおう》のたたりが とうとう おれにまで…
ウイルス型のたたりなのか…？
そりゃ淳《じゅん》ちゃん達《たち》は いーよね！ 本命《ほんめい》受《う》かって春《はる》から 遊《あそ》びたい放題《ほうだい》じゃん
そーだ そーだ
あたしは 遊《あそ》びたくて 大学《だいがく》行《い》くんじゃ ないの！
なんか いっつも 淳《じゅん》ちゃん ばっかり 幸《しあわ》せで ズルイ！
大魔王《だいまおう》の えこひいき！
………
あんたの変《へん》な宗教《しゅうきょう》に あたしを巻《ま》き込《こ》むな!!
ゴン
でもほら 奈々《なな》はさ
大学《だいがく》じゃなくて 専門学校《せんもんがっこう》でも いーんだろ？
親《おや》が大学《だいがく》じゃないと 金《かね》出《だ》さないって…
春《はる》から 浪人生《ろうにんせい》か…
まあ それも よし
人生《じんせい》は 長《なが》い
でも あたしは浪人《ろうにん》してまで 美大《びだい》行《い》きたいわけじゃないし…
いったい どーすれば……

ねー それよりそろそろ ホテル戻《もど》らない？ 明日《あした》 早起《はやお》きして 不動産屋巡《ふどうさんやめぐ》り したいし
…そーだな
淳《じゅん》ちゃ…
それよりって… あたしは どーすれば…
……
奈々《なな》
せっかく東京《とうきょう》 来てんだし もー一件《いっけん》行くか？
うん♡
どこのお店がいーかなー
ワクワク
東京 おしゃれSHOP ガイド
悪《わり》イ 先戻《さきもど》ってて
おー
あんま飲《の》み すぎんなよ
あんたも気苦労《きぐろう》が絶えないねぇ
しかし東京《とうきょう》って とこはあれだね
こんな夜遅《よるおそ》くでも 人《ひと》がいっぱいだね
なんか自分《じぶん》が ものすごく田舎《いなか》もんな 気《き》がしてくるよ
キョロキョロ
田舎《いなか》もんじゃん？
キョロキョロ すんな
そんな事《こと》よか おまえ 4月《がつ》からさ
やっぱ地元《じもと》の 美術学校《びじゅつがっこう》で 進級《しんきゅう》するのが 正《ただ》しい道《みち》じゃ ねぇの？

そーだけど…
あたしはどーしても東京《とうきょう》出《で》て来《き》たいんだもん
なんか責任《せきにん》感《かん》じるなぁ
けしかけたのはおれだしな
やっぱ地元《じもと》残《のこ》った方《ほう》がいいっておまえは
絶対《ぜったい》イヤッ
………
そんなに淳子《じゅんこ》のそばがいーんか
不毛の恋だぞそれは
だって…
だって章司《しょうじ》も東京《とうきょう》出《で》て来《く》るんでしょ？
おれはまあ…
やっぱこっちで予備校《よびこう》通《かよ》ってさ来年《らいねん》もっぺん受《う》けてみるよ
なんかくやしーい
それならあたしも東京《とうきょう》に住《す》む！
べつに仕送《しおく》りなんかなくてもフリーターでもなんでもやって生《い》き延《の》びてみせるよ！
何《なに》バカな事《こと》言《い》ってんだよそんな無茶《むちゃ》すんなって！
野たれ死ぬぞ！
何《なに》が無茶《むちゃ》なの？大丈夫《だいじょうぶ》だよやってみせるもん
仕送《しおく》りなしでやってけるほど金持《かねも》ってんのかおまえ
だからバイトするって言《い》ってるじゃん！

部屋《へや》借《か》りる金《かね》は？ 最初《さいしょ》に何十万《なんじゅうまん》て いるんだぜ？
ガキじゃねぇんだから それくらいわかるだろ
ちったあ現実的《げんじつてき》に 物事《ものごと》考《かんが》えろよ！
じゃあ あたしも 予備校《よびこう》行く… そしたら親《おや》も お金《かね》出して くれるかもだし
なんじゃ そら
そんな理由《りゆう》で 予備校《よびこう》行くな
じゃあ どー すれば…
だから 地元《じもと》に 残《のこ》れって
章司《しょうじ》は あたしと 離《はな》れても 寂《さび》しく ないんだ……
寂《さび》しかねぇよ 全然《ぜんぜん》！
せーせー すらぁ！
ざわ
ざわ
ざわ

おれは おまえの なんだ？
涙目《なみだめ》んなって 思《おも》わせぶりな セリフ吐《は》いて 人《ひと》の心《こころ》かき回《まわ》して 楽《たの》しいか
おまえ結局《けっきょく》 都合《つごう》よく甘《あま》え られる男《おとこ》を そばに 置《お》いときたい だけじゃねえか
何《なに》が男女《だんじょ》の 友情《ゆうじょう》だよ
笑《わら》わせんな

ざわ
ざわ
やだもー
あはは
どん
ざわ
ざわ
ざわ
ざわ
ざわ
ざわ
ざわ
ざわ
ざわ

ホテルに
戻《もど》らなきゃ
でも道《みち》が
わからない
あたしはいつも章司《しょうじ》の横《よこ》で安心《あんしん》してよそ見《み》ばっかりして歩《ある》いてたから
わざと足元《あしもと》を見《み》ないようにして来《き》たから
とうとう谷底《たにぞこ》へ落《お》ちたみたい

あたし 今《いま》どこに 立《た》ってるんだろう
奈《な》々《な》ちゃん？
ざわ ざわ
ざわ ざわ
そうだ
ここは 東京《とうきょう》だ
ざわ ざわ
東京《とうきょう》は
あの人《ひと》の 住《す》んでる 街《まち》だ
でも まさか

やっぱり……
どうしたんだ 何《なに》してるんだ こんな所《ところ》で
こんな人《ひと》混《ご》みの中《なか》で あたしに気《き》づいて くれるなんて
終《お》わったな

だって！ あんまりにも わからずやなんだもん つい ぶちキレちゃって
なんか話《はなし》が 変《へん》な方向《ほうこう》へ！
キレるのはわかる！ キレて当然《とうぜん》！
でもそのまま 置《お》き去《ざ》りにして 来《く》るとは 見損《みそこ》なったよ 章司《しょうじ》！
いやー
トン
ここらは 夜道《よみち》も明《あか》るいし 人通《ひとどお》りも多《おお》いし
1人《り》で帰《かえ》って 来《こ》れるだろ
そーゆー問題《もんだい》 じゃない！
あんたは 黙《だま》ってて！
……
こーなったら 言《い》うけど 章司《しょうじ》
奈々《なな》は あんたに ホレてるよ
へ？
そんな バカな
ホレてる男《おとこ》に そんな事《こと》 言《い》われて奈々《なな》が どれだけ 傷《きず》ついたか よく考《かんが》えてから 対処《たいしょ》するように！
………

実《じつ》は ちょっと
そんな気《き》も
してたんだけど
……
なんじゃそら
でもボクの
うぬぼれかも
しれないし
いや 淳子《じゅんこ》が言《い》うん
だから間違《まちが》い
ねぇんじゃねぇの?
だっ
バン
……
手《て》ぶらで
人探《ひとさが》しか…
あわてもん
ばっかり
やれやれ

そうか……
こっちの美大《びだい》受《う》けたんだ
でも見事《みごと》に全部《ぜんぶ》すべっちゃって…
ちょっと途方《とほう》に暮《く》れて
東京《とうきょう》に出《で》て来《き》たくてがんばってたから
あ
でもそれはべつに
浅野《あさの》さんの事《こと》執念深《しゅうねんぶか》く追《お》いかけてとかじゃないから
べつにストーカーとか
安心《あんしん》してね
変《か》わらないなあ奈々《なな》ちゃんは
え
うそ
変《か》わったよねあたし
髪型《かみがた》とか
服《ふく》とか
なんか高校《こうこう》ん時《とき》よりガキっぽくなっちゃって
こんな姿見《すがたみ》られて今《いま》かなりはずかしーんだけど
その方《ほう》が奈々《なな》ちゃんらしいよ
そっ…
そーかやっぱり
でも言《い》う事《こと》は全然《ぜんぜん》変《か》わらない
「浅野《あさの》さんに迷惑《めいわく》はかけないから」
「ストーカーとかしないから」
「安心《あんしん》してね」
…………

会《あ》う度《たび》 言《い》ってたろ
言《い》われる度《たび》 つらかったな
……
シュボッ
……
なんで？
も〜〜〜〜 浅野《あさの》さんも そーゆーとこ 全然《ぜんぜん》変《か》わんないね
あたしが「なんで？」とか 聞《き》いても いっつも 黙《だま》っちゃうの
え？
ああ…
ははっ
あたしは その度《たび》 つらかったんだよ？
そうか
ごめんね
なんか不思議《ふしぎ》な気分《きぶん》だ
あたし この人《ひと》の事《こと》 恨《うら》んでたはずなのに
会《あ》うとやっぱり 全然《ぜんぜん》憎《にく》めないや
もうデタラメだったなんて 思《おも》うのは よそう

あたしは彼《かれ》を
本気《ほんき》で愛《あい》してた
彼《かれ》は それを一時《いっとき》でも
受《う》け入《い》れてくれた
それで充分《じゅうぶん》だよ
ありがたいじゃないか
みじめに思《おも》う事《こと》はない
あ
そっか
わかった!
ここの角《かど》
見覚《みおぼ》えがある
この通《とお》り真《ま》っ直行《すぐい》けば
ホテルに着《つ》くよ
うん
ありがとう
あれ――?
浅野《あさの》さん?
何《なに》してんすかー?
こんな時間《じかん》にー
こんな若《わか》い子《こ》と
2人《り》っきりでー
あーあ
……
美人《びじん》の奥《おく》さんに
言《い》いつけますよー

じゃあ口止《くちど》めに今度《こんど》何《なに》かおごらないとな
やった♡
期待《きたい》してますよ――
あはは
そんじゃっ
ざわ
ざわ
………
言《い》いわけしなくていーの？
気《き》にする事《こと》ないよ
あんなのふざけて言《い》ってるだけだから
へたに弁解《べんかい》したらよけいあやしまれる
なるほど
ってカンシンするべき事《こと》なのかな
しかしなんて冷静《れいせい》かつすみやかな対応《たいおう》
もしや浮気《うわき》なれ？
でも本名《ほんみょう》だったんだね
よかった♡
え？
ううんこっちのこと
じゃああたしもう行《い》くね

もー
浮気《うわき》
すんなよ!!
ビクッ
気をつけます
よろしい
ってあたしがゆーなってカンジ
あはは
さようなら
浅野《あさの》さん
本当《ほんとう》に
愛《あい》してた
ざわ
ざわ

大丈夫《だいじょうぶ》
もう涙《なみだ》は出《で》ない
♪ピンピロピロピロピ〜
♪〜♪〜♪〜
あああ なんてマヌケな 着メロ
台無《だいな》し
はいはい 奈々《なな》でーす♡
なんだ 元気《げんき》じゃん
京助《きょうすけ》？
そんだけ 元気《げんき》って事《こと》は もー 会《あ》えたんか？
えっ
だっ… 誰《だれ》と？
あー やっぱ ムリか
まあ当然《とうぜん》だな おまえ今《いま》 どこよ

ホテルのそばだよ もーすぐ着くとこ
びっくりした 浅野さんの 事かと思った…
実《じつ》は小一時間《こいちじかん》ほど前《まえ》 章司《しょうじ》と淳子《じゅんこ》が 大騒《おおさわ》ぎして おまえの事《こと》 探《さが》しに出《で》ちゃってさ
見《み》つけられたら ドラマみたいで それもいーかと 思《おも》ったんだが…
涙目《なみだめ》んなって 思《おも》わせぶりなセリフ 吐《は》いて
人《ひと》の心《こころ》かき回《まわ》して 楽《たの》しいか
ごめんなさい あたし…
そんな つもりじゃ…
いや おれに 謝《あやま》られても
あたし…
うっ…
おれに 泣《な》かれても
だって…
ううっ
うそつきっ
うそつきは おまえだ
気《き》づいてる くせに
大丈夫《だいじょうぶ》
章司《しょうじ》は おまえに ホレてるから

京助《きょうすけ》……
章司《しょうじ》今《いま》どこにいるかな……
さあなぁ
徒歩圏内《とほけんない》にはいると思《おも》うけど……
ブッ
とりあえずおまえはホテル戻《もど》っ……
プ プ プ
……
ピンポン ピンポン
だめだ京助《きょうすけ》! 見《み》つからない!
探《さが》すより携帯《けいたい》に電話《でんわ》した方《ほう》が早《はや》いって!
やっと気《き》づいたか
ほんとは ずつと好《す》きだつた

一目《ひとめ》 見《み》た時《とき》から
いいなつて思《おも》つてた
でも あの頃《ころ》 あたし 傷《きず》だらけで
被害妄想《ひがいもうそう》だつたかも しれないけど とにかく傷《きず》だらけで
触《ふ》れられたら 傷口《きずぐち》が広《ひろ》がり そうで ずつと 怖《こわ》かつた
幸《しあわ》せな恋《こい》が したかつた
でも男《おとこ》なんか みんな信用《しんよう》 出《で》来なかつた
だけど章司《しょうじ》は 違《ちが》つた
違《ちが》わないのかも しれないけど あたしには違《ちが》つた

あたし
章司《しょうじ》といると
いつも癒《いや》される
思《おも》いがしたよ
心《こころ》で そつと
包《つつ》み込《こ》んでくれてたよね
今《いま》 その温《ぬく》もりで
力《ちから》いっぱい抱《だ》きしめて欲《ほ》しいよ
奈《な》々《な》!!

あたしを
抱《だ》きしめて
ざわ
ざわ
ざわ
ぷっ
なんじゃその顔《かお》
いやあ さっきはごめんネ
ちょっと言《い》い過《す》ぎたよ
まあ気《き》にすんな
ぷーっ？
……

盛《も》り上《あ》がらん!!
ピッ
ウィーーン
もしやあたし達《たち》
今《いま》さら恋人同士《こいびとどうし》になんてなれないんじゃ
……
7階《かい》…
ナナ
不吉《ふきつ》!!
お帰《かえ》り♡
淳《じゅん》ちゃん聞《き》いてよ章司《しょうじ》ってばさ!
おやすみ
パタン

707
707号室《ごうしつ》って…
かんべんして下《くだ》さい
何《なに》独《ひと》り言《ごと》言《い》ってんだ
怖《こわ》いぞ
独《ひと》り言《ごと》じゃないもん！魔王《まおう》としゃべってたんだもん
よけー怖《こわ》いわ！
あーもー走《はし》り回《まわ》って疲《つか》れた
どさっ
ほんと世話《せわ》がやけるっつーか…
自分《じぶん》で置《お》き去《ざ》りにしといてよくゆーよ

うう…
なんで こんな時《とき》に こんな かわい気《げ》ない 言《い》い方《かた》しちゃってん だろう あたし…
好《す》きな男《おとこ》の前《まえ》では常《つね》に かわいい女《おんな》でいたいのに
こんなのイヤッ
やっぱ もう今《いま》さら ダメなのかな
章司《しょうじ》には 嫌《いや》なとこ いっぱい見《み》せ ちゃったし
同《おな》じ部屋《へや》に いても すでに なんの 緊張感《きんちょうかん》もないもん
なんか平気《へいき》で寝《ね》てるし
あのさあ 奈々《なな》
おれだって ほんとは おまえ連《つ》れて 東京来《とうきょうき》たいんだよ
でも ほら おれ 社会人《しゃかいじん》じゃないし
せめて大学生《だいがくせい》なら まだしも浪人生《ろうにんせい》だし
おまえが野《の》たれ 死《じ》にかけても なんも助《たす》けて やれないから
そーゆーの 男《おとこ》として つらいんだ
わかってくれよ

じゃあ……
じゃあ あたしさ 地元《じもと》残《のこ》ってバイトして 上京資金《じょうきょうしきん》貯《た》めるよ！
それで1年後《ねんご》 章司《しょうじ》が大学《だいがく》受《う》かったら あたしも上京《じょうきょう》する！
上京《じょうきょう》してからも 一人立《ひとりだ》ち出来《でき》るような 仕事《しごと》見《み》つけて しっかり がんばるよ！
それなら いい…？
じゃあ来年《らいねん》は 絶対《ぜったい》受《う》かんねぇとな
今《いま》に 見《み》てろよ 大魔王《だいまおう》！

おっし!
では仲直《なかなお》りもすんだ事《こと》だし
たまには一緒《いっしょ》に寝《ね》るか!
なにそれっ
たまにはって……
すでに倦怠期《けんたいき》みたいな…
キスもしてないのに!
嫌《いや》なら いーよ べつに
耐《た》えるのは慣《な》れっこだし
……
ムード作《づく》りをしよーとか思《おも》わないのかな
もーいい
自己完結《じこかんけつ》するなよ
おう
ならば君《きみ》の意見《いけん》を是非《ぜひ》聞《き》こうじゃないか
……え?
えっと……
じゃあ愛《あい》してるって言《い》ってくれたら一緒《いっしょ》に寝《ね》てあげる
アイッ?

おまえ そーゆーのは 言葉《ことば》じゃねぇだろ
日本男児に 言わすなっ！
だって生《う》まれて このかた 一度《いちど》も言《い》われた 事《こと》ないんだもん
いっぺんくらい 言《い》われて みたいじゃん
頼《たの》んで 言《い》わせて 意味《いみ》 あるんかっ
おれも男《おとこ》だ 言《い》ってやろう じゃねえか 自分《じぶん》をアメリカ人《じん》と思《おも》え…… おれの名《な》はマイケル
誰《だれ》それ
カチャ
あたし そんな ナゾの外人《がいじん》と 寝《ね》なきゃ なんないんだ 章司《しょうじ》じゃないと イヤなのにっ
もーー いい
カタ…
……
よおし わかった
お茶《ちゃ》入《い》れるね
緑茶《りょくちゃ》と ほうじ茶《ちゃ》 どっちがいい？ マイケル
パサ…

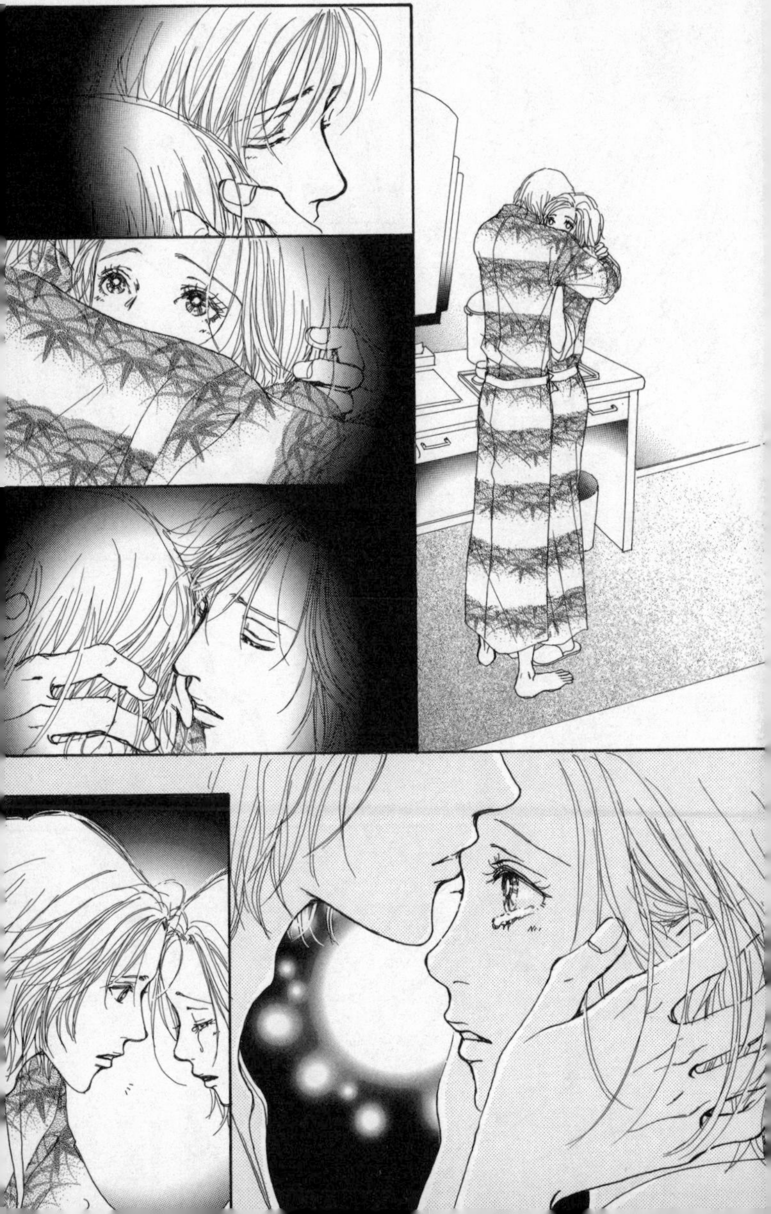

奈々《なな》…?
章司《しょうじ》
今《いま》言《い》ってくれたでしょ
心《こころ》の中《なか》で…
愛《あい》してるって言《い》ってくれた
聞《き》こえちまったか…

幸《しあわ》せな恋《こい》がしたかつた
映画《えいが》みたいに
ロマンチックで
ドラマチックな恋《こい》
だけど十七の夏《なつ》
初《はじ》めて女《おんな》になつて
男《おとこ》なんか そんな
甘《あま》いものでは
ない事《こと》を知《し》つた
はずだつたのだが

今宵《こよい》 甘《あま》ったるい幸福《こうふく》の味《あじ》で
体中《からだじゅう》が とろけそうだ
ちゃんと うまくいったかな あの2人《り》
なんか不安《ふあん》
YEBISU

だいたい ひっつくのに 友達《ともだち》の助《たす》けが 必要《ひつよう》なんて
中学生《ちゅうがくせい》じゃ ないんだから
ねえ
……
すぴー
独《ひと》り言《ごと》 言《い》わすな
ばさっ
寝《ね》よ
女《おんな》の人生《じんせい》 そう捨《す》てたもんじゃ ないね 淳《じゅん》ちゃん♡
すやすや
コロン
すやすや

でも
遠恋《えんれん》
は？
いえ
延滞料《えんたいりょう》として300円《えん》いただきます
VIDEO RENTAL
ああ
はい
あんなマジメなナリしてエロビデオを延滞《えんたい》するとは何事《なにごと》だ
まったく男《おとこ》ってやつは
どいつもこいつもけしからんな
貸出カウンター
奈々《なな》ちゃん
今夜《こんや》一緒《いっしょ》に食事《しょくじ》でも行《い》かない？
中村《なかむら》さん
困《こま》ります

今頃《いまごろ》あたしの魅力《みりょく》に気《き》づいても 遅《おそ》いんだよ 中村《なかむら》(22)
思ってたより 若かったな
いいじゃん 食事《しょくじ》くらい
しかも軽《かる》いし
彼氏《かれし》 東京《とうきょう》行《い》っちゃって 寂《さび》しいんだろ?
そのうえ しつこいし
おれに ホレてた くせに
人違《ひとちが》い だってば
も──
あそこのバイトやめよっかな でも割《わり》い━んだよな
おまえがやめろ 中村(22)
早《はや》く上京資金《じょうきょうしきん》 貯《た》めて東京《とうきょう》 行《い》きたいし
来年《らいねん》の春《はる》なんて とても待《ま》てないよ
♪ ピンピロ ピロピ～
はいはい 奈々《なな》で──す♡
あ
章司《しょうじ》?
うん! 超元気《ちょうげんき》!

小《こ》松《まつ》奈《な》々《な》
只今《ただいま》 十九歳《さい》
彼氏《かれし》は いれど
遠距離恋愛《えんきょりれんあい》
今《いま》に
見《み》てろよ
大魔王《だいまおう》

あたしは自分《じぶん》の生《う》まれ故郷《こきょう》を知《し》らない
父親《ちちおや》の顔《かお》は見《み》た事《こと》もないし
母親《ははおや》の顔《かお》も とうに忘《わす》れた
4つの時《とき》に この海沿《うみぞ》いの町《まち》に来《き》て
小料理屋《こりょうりや》を営《いとな》む祖母《そぼ》に
さんざん嫌味《いやみ》を言《い》われまくって育《そだ》ち
今《いま》はバイトに明《あ》け暮《く》れながら
夢《ゆめ》のかけらを磨《みが》いている

NANA
ナナ

今晩《こんばん》は
ブラストです！
TONIGHT
7:00～
TODAY'S MENU
★Nonsensical
★Scrape
★WONDERWALL
★Blast
Black Stones
CLUB Z

REN
NANA
あ！出《て》て来《き》た！
ざわっ

ナナー
レンー
ヤスー
ブー
うそっ
このくそ寒《さむ》いのにみんな待《ま》っててくれたの？
今日《きょう》は ほんとありがとね！
ナナ！ライブ最高《さいこう》だったよ！
きゃ きゃ
かわ〜 マジ〜 きれ〜
サンキュー♡
ナナさん！
どん
これプレゼントです！
だっていつも欠《か》かさず来《き》てくれるし
べっぴんだし♡
ナナさん先週《せんしゅう》誕生日《たんじょうび》でしたよね
おー何《なに》？ヴィヴィアン？
いーの？美里《みさと》ちゃん こんな高《たか》いもの
名前《なまえ》
美里《みさと》の名前《なまえ》覚《おぼ》えて下《くだ》さったんですか？
よく知《し》ってんな
それ誕生日《たんじょうび》プレゼントです 18歳《さい》おめでとうございます

サンキュ♡
チュ♥
うきゃ――
イエーイ ヴィヴィアン ゲット♡
ほんじゃ
今夜《こんや》も ライブ 大盛況《だいせいきょう》を 祝《しゅく》して
居酒屋
いやー しかし今日《きょう》の タイバンも われわれの 大勝利《だいしょうり》だね

ほとんどの客《きゃく》がうち目当《めあ》てじゃん？
おれの人生《じんせい》でこんなに女《おんな》にモテる日《ひ》が来《こ》ようとは♡
幸せ♡
でも みんなナナのコスプレでかなり怖《こわ》いんだけど
とくに化粧が
うわっ
ジャケットだよ！超感激《ちょうかんげき》！
しかもレアものいったいいくらしたの。
今頃《いまごろ》他《ほか》のファンにしめられてるだろうな あの女《おんな》
かわいそ
ノブ〜〜〜
もうやめとけって
あんた明日《あした》卒業式《そつぎょうしき》でしょ？
ナナは出《で》ないの？卒業式《そつぎょうしき》
色々《いろいろ》高《たか》くついたよね あたしのキスは
くすっ♡
オニ
あ
お姉《ねえ》さんおかわり！
大ジョキね
悪《わる》かったな 高校中退《こうこうちゅうたい》で
それがどーした おれなんか今時《いまどき》中卒《ちゅうそつ》だぜ
いばるな
あはは
あ 笑《わら》ってるよ 国立大生《こくりつだいせい》が
嫌味《いやみ》な男《おとこ》だね
しかし見《み》たかったな ナナの制服姿《せいふくすがた》
やっぱルーズとかはくわけ？
こいつマジ怖《こわ》かったから 見《み》ない方《ほう》がいいって ヤッさん
おれなんかビビって口《くち》きけんかったし
うそつけ おもっきりまとわりついてたじゃん
あんたマジうざかったよ
目に浮かぶな うざいノブとうざがるナナ
あはは
なんだよ おまえがクラスでひとりぼっちで寂《さび》しそーだったから
友達《ともだち》になってやったんじゃん
感謝《かんしゃ》しろよ

ブラスト バンザ───アアアアアイ
ばたーっ
バサ バサ
……
ダメだ あいつ ほって帰《かえ》るか
死《し》ぬかな
くすっ
死《し》ぬだろ
マジで
なめんじゃないよ あたしは捕《つか》まらん!
逃げきってみせるよ!
あ
…
なんかしたんか
おれタクシーで送《おく》って帰《かえ》るわ
あら ヤッさん お金《かね》持《も》ち♡ さすが法学部《ほうがくぶ》 弁護士《べんごし》の卵《たまご》!
お嫁さんにして♡
ヤス ナナがブタ箱《ばこ》入《はい》ったら弁護《べんご》してやってくれよな
待《ま》てよ レン!

あの事《こと》ノブには おれが話《はな》しとくから
ナナには おまえから ちゃんと話《はな》せよ
何《なに》?
あのこと
実《じつ》はヤスが スキンヘッド なのは ある時《とき》 十円《じゅうえん》ハゲが 出来《でき》たからで
ハゲを 笑《わら》う者《もの》は ハゲに 泣《な》くぞ!
しかしやっぱ ライブは 最高《さいこう》だね
なんて ゆーの? 絶頂感《ぜっちょうかん》?
もー いっちゃって 大変《たいへん》
ははっ
そら よかったな
うん そーとー イイ♡
気持《きも》ち え〜〜 わ〜〜
男《おとこ》と やるよりか
それは オトコ次第《しだい》♡

うわっ さっび〜〜〜〜
ビュウウゥゥ
港駅
風邪《かぜ》引《ひ》くじゃん！
あたしの美《うつく》しい歌声《うたごえ》が出《で》なくなったらどーすんのさ！
ホッカイロとかねぇの？
気《き》がきかん女共《おんなども》だな
かっこつけてても夏は暑いし冬は寒いんだよ！
なんかあるでしょ
手編《てあ》みのマフラーとか使《つか》えるもんが
あった
♥REN♥

かっこいー

REN・NANA
本城 蓮
大崎 ナナ
ねえ レン
覚《おぼ》えてる？
あたしとレンが初《はじ》めて会《あ》ったのも
こんな吹雪《ふぶき》の夜《よる》だったんだよ
ああ 覚《おぼ》えてるよ
……ほんとかよ
あれは何年《なんねん》か前《まえ》のクリスマスライブで
2年《ねん》3か月前《げつまえ》
おれは まだ 前《まえ》のバンドでギター弾《ひ》いてて
女《おんな》に モテまくって超《ちょう》いい気になってやりまくってたんだよね
……
まあそれはおいといて

おまえは あの日《ひ》
赤《あか》いワンピース
着《き》てた
…そーだっけ
服《ふく》まで覚《おぼ》えて
なくていーって
すごい
記憶力《きおくりょく》だね
忘《わす》れたくても
忘《わす》れられ
ねぇんだよ
おまえは史上最悪《しじょうさいあく》に
ノリの悪《わる》い
客《きゃく》だったからな
ムッ!
なんだって?
先頭《せんとう》 陣取《じんど》っといて
棒立《ぼうだ》ちでおれに
睨《にら》みきかせてさ
なんだ この女《おんな》とか
すげぇむかついて
……
ジュッ
そしたら
ライブのあと
ノブに
ひっついて
楽屋《がくや》に
来《き》やがった
またその
挨拶《あいさつ》が
最悪《さいあく》
ニコリ
ともせず
「ナナです」
おしまい
他《ほか》に言《い》う事《こと》
ねぇのかよ
礼儀として
さー
だってあたし
あの頃《ころ》は
色々《いろいろ》あって
へこんでたし
ああ
ウリやってんのが
バレて退学《たいがく》に
なったから
やってねぇって!
濡《ぬ》れ衣《ぎぬ》だよ!
あたしの処女《しょじょ》は
てめぇが
奪《うば》ったんだろ!
…………
悪《わる》かったよ
落ちつけ

しかし おまえ そのキレやすい性格《せいかく》で よくおとなしく処分《しょぶん》受《う》けたな
キレる気力《きりょく》も なかったんだよ あの頃《ころ》は
…ああ
確《たし》かにそんな ツラしてた
それに 学校《がっこう》退《や》めて 働《はたら》きたかったから ちょうどいいやとか 思《おも》ってさ
でも おまえ 意地悪《いじわる》ばーさんに 店《みせ》でこき使《つか》われ まくってたんだろ?
それ以上《いじょう》働《はたら》いて 何《なに》がしたかった
金《かね》が欲《ほ》しかった
……
だってばーちゃん 小遣《こづか》い一銭《いっせん》も くれないんだもん
あははは
笑《わら》い事《ごと》じゃねえ!!
はいはい
よしよし
子供《こども》の時《とき》から ずっとだよ?
周《まわ》りは 親《おや》の金《かね》で 好《す》き放題《ほうだい》して 遊《あそ》んでんのに
なんで あたしばっか こんな不幸《ふこう》な運命《うんめい》 なのとか思《おも》うじゃん
ゴシゴシ
でももう ガキじゃねぇんだし 運命《うんめい》なんか自分次第《じぶんしだい》で どーとでもなるだろ

そうだね
それにあたし 最近《さいきん》になってやっと おばあちゃんの ありがたみも 分《わ》かって来《き》たよ
たしかに 意地悪《いじわる》ばーさん だったけど
あの年《とし》で女一人《おんなひとり》で 店切《みせき》り盛《も》りして あたしを育《そだ》てるのは 大変《たいへん》だったろうと 思《おも》うよ
そりゃ イヤミも 言《い》いたか なるさ
でも お礼《れい》ひとつ 言《い》えないまま 死《し》んじゃった
しかも あたしが 殺《ころ》したような もんだ
階段《かいだん》から 突《つ》き落《お》としたか
それじゃマジに 殺人《さつじん》じゃ ねぇかよ!
そりゃ 突《つ》き落《お》としたくなる程《ほど》 ムカツク時《とき》もあったけど
……
よかったよ 思いとどまって くれて
でも もっと ひどい事《こと》した
何《なに》したんだ いったい…
高校退学《こうこうたいがく》んなって ショック死《し》させた
……それは死《し》ぬ程《ほど》の事《こと》か?
あたしがウリやってんの 否定《ひてい》しなかったから それはもう ひどい 落《お》ち込《こ》み様《よう》で
……
そのまま 寝込《ねこ》んで1か月《げつ》も 経《た》たないうちに 病気《びょうき》で死《し》んじ まった

きっと生《い》きる気力《きりょく》を失《な》くしたんだよ
ちゃんと否定《ひてい》してあげればよかった……
ほら前《まえ》に話《はな》したじゃん
あたしのお母《かあ》さん
あたしが4つの時《とき》あたしをおばあちゃんに預《あず》けたまま行方《ゆくえ》知《し》れずだって
お母《かあ》さんはあたしの父親《ちちおや》が誰《だれ》か分《わ》からないままあたしを生《う》んで
結局《けっきょく》あたしが邪魔《じゃま》になって男《おとこ》と蒸発《じょうはつ》する様《よう》なだらしない女《おんな》だったから
ナナは絶対《ぜったい》そんな風《ふう》になるなって
おばあちゃん口《くち》ぐせみたいに言《い》ってた
だから あたしに赤《あか》とかピンクの女《おんな》の子《こ》らしい服《ふく》は絶対《ぜったい》着《き》せてくれなかったの
そーゆーの着《き》ると男《おとこ》を誘惑《ゆうわく》しちゃうんだって♡
あはは
いや笑《わら》うけどさ
そーゆー風《ふう》に言《い》いきかされて育《そだ》つとそーなのかなって思《おも》っちゃうんだよ
子育《こそだ》てってのはある意味《いみ》洗脳《せんのう》よね
怖いわ
でも あたしもやっぱり女《おんな》の子《こ》だから
かわいい服《ふく》とか着《き》てみたいわけだ
イケナイと思《おも》いつつあこがれるわけだ

それで おばあちゃんが死《し》んで ひとりぼっちになった あたしは
バイトで稼《かせ》いだお金《かね》で かわいそうな自分《じぶん》に クリスマスプレゼントを 買《か》ってあげる事《こと》にしたの
事《こと》もあろうに 真《ま》っ赤《か》なフリフリの ワンピース
内心《ないしん》ドキドキ しながら その夜《よる》のライブに 着《き》て行《い》ったな
ノブが 超《ちょう》かっこいい男《おとこ》を 紹介《しょうかい》してやるとか 困《こま》った事《こと》言《い》うから
それは ばーさんの心配《しんぱい》が 的中《てきちゅう》したな
それで おれは まんまと誘惑《ゆうわく》されて 惚《ほ》れちまったわけだ
うそつけ
さっき むかついたとか 言《い》ってたじゃん
だって目《め》の前《まえ》に こんな いい女《おんな》が 現《あらわ》れたってのに まるで落《お》とせそうに なくて焦《あせ》ったんだよ
ほんと かよ…

コートの下《した》に
赤《あか》い色《いろ》を隠《かく》して
吹雪《ふぶき》の中《なか》を走《はし》った
LIVE HOUSE
おれの中学《ちゅうがく》の時《とき》の先輩《せんぱい》でさ
2個《こ》上《うえ》なんだけど マジかっこいいんだ
絶対《ぜったい》おまえホレるって
あとで紹介《しょうかい》してやるからな
だから いーって そんなん
あたしは単《たん》に気晴《きば》らしに来《き》ただけだし
いや おまえみたいな問題児《もんだいじ》にはな
包容力《ほうようりょく》のある男《おとこ》が必要《ひつよう》だって
レンはモテるから女《おんな》ぐせが悪《わる》いのがたまにキズだけど それさえ目《め》をつぶれば いい男《おとこ》だぜ
やだよ そんな男《おとこ》

会《あ》って話《はな》して みれば分《わ》かるって
そのへんの大人《おとな》より ずっと しっかり してるっ つーか
施設育《しせつそだ》ちだし きっと色々《いろいろ》苦労《くろう》が あったんだろうと おれは思《おも》うよ
……
レンはさ
生《う》まれて すぐ港《みなと》の 倉庫街《そうこがい》に 捨《す》てられて たんだって
ニュース とかにも なったらしいぜ
伸夫《のぶお》 あんた他人《たにん》の そーゆー話《はなし》 ペラペラしゃべる もんじゃないよ
いーんだよ だって これはレンの 自慢話《じまんばなし》だもん
自慢《じまん》?
生《う》まれてすぐ 巷《ちまた》の話題《わだい》になれる やつは そーそー いないだろって 自慢《じまん》してた
しかもレンは今《いま》 その倉庫街《そうこがい》に 住《す》んでんだ
ここが おれの 原点《げんてん》だとか言《い》って
………
それにレンは プロの ミュージシャン 目指《めざ》してるから
そーゆースキャンダラスな 生《お》い立《た》ちはハクがついて ありがたいんだって!
何《なに》それ ばっかみたい
なんでだよ!
かっこいいじゃん!
自分《じぶん》の不幸《ふこう》 売《う》り物《もの》にして 同情買《どうじょうか》いたい だけじゃん
かっこ悪《わる》

だけどステージに現《あらわ》れた　その男《おとこ》に
あたしは釘《くぎ》付《づ》けになつてしまつた

港《みなと》の倉庫街《そうこがい》に
捨《す》てられてたんだって
レンの自慢話《じまんばなし》だもん

あの夜《よる》生《う》まれた感情《かんじょう》を
どんな名前《なまえ》で呼《よ》べばいいのか
それは恋《こい》とかときめきだとか
甘《あま》い響《ひび》きは似《に》つかわしくない
嫉妬《しっと》が入《い》り混《ま》じった羨望《せんぼう》と
焦燥感《しょうそうかん》
そして欲情《よくじょう》

今《いま》でも時々《ときどき》
不安《ふあん》になる

レンと暮《く》らす
この日常《にちじょう》が
全《すべ》て夢《ゆめ》の中《なか》の
出《で》来《き》事《ごと》に
思《おも》えたりする
それまで卑屈《ひくつ》に生《い》きて来《き》たあたしに
レンは眩《まぶ》し過《す》ぎたから
どんなにあがいても
未《いま》だに手《て》が届《とど》かない気《き》がするよ
あたし もっと 広《ひろ》いとこで やりたいな
確《だし》かに狭《せま》いよな ユニットバスは
そーじゃ なくて ライブ
あんだけ客《きゃく》も付《つ》いたし もっと広《ひろ》いとこで 出来《でき》ないかな

ああ やってみれば？
……… そんな人事《ひとごと》みたいに………
そーいやさ ヤスが帰《かえ》り際《ぎわ》言《い》ってた話《はなし》って何《なに》？
なんか深刻《しんこく》な口《くち》ぶりだった バンドの事《こと》？
深刻《しんこく》なんだよ 十円《じゅうえん》ハゲは
もーいいよ ヤッさんに聞《き》くし それよりあたし薬《くすり》…
しょーがねぇな ジャンキーは
違《ちが》うよ！ピルだよ！ 飲《の》み忘《わす》れたら てーへんなんだよ いくら言《い》っても てめぇが避妊《ひにん》しねぇから！ ガキが出来《でき》たら どーすんだ！
この無責任男！
産《う》んで育《そだ》てりゃいーじゃん
おれは高校《こうこう》も行《い》かずマジメに肉体労働《にくたいろうどう》して来《き》たから結構《けっこう》金《かね》持《も》ちだぜ
ガキの一人《ひとり》や二人《ふたり》全然《ぜんぜん》平気《へいき》

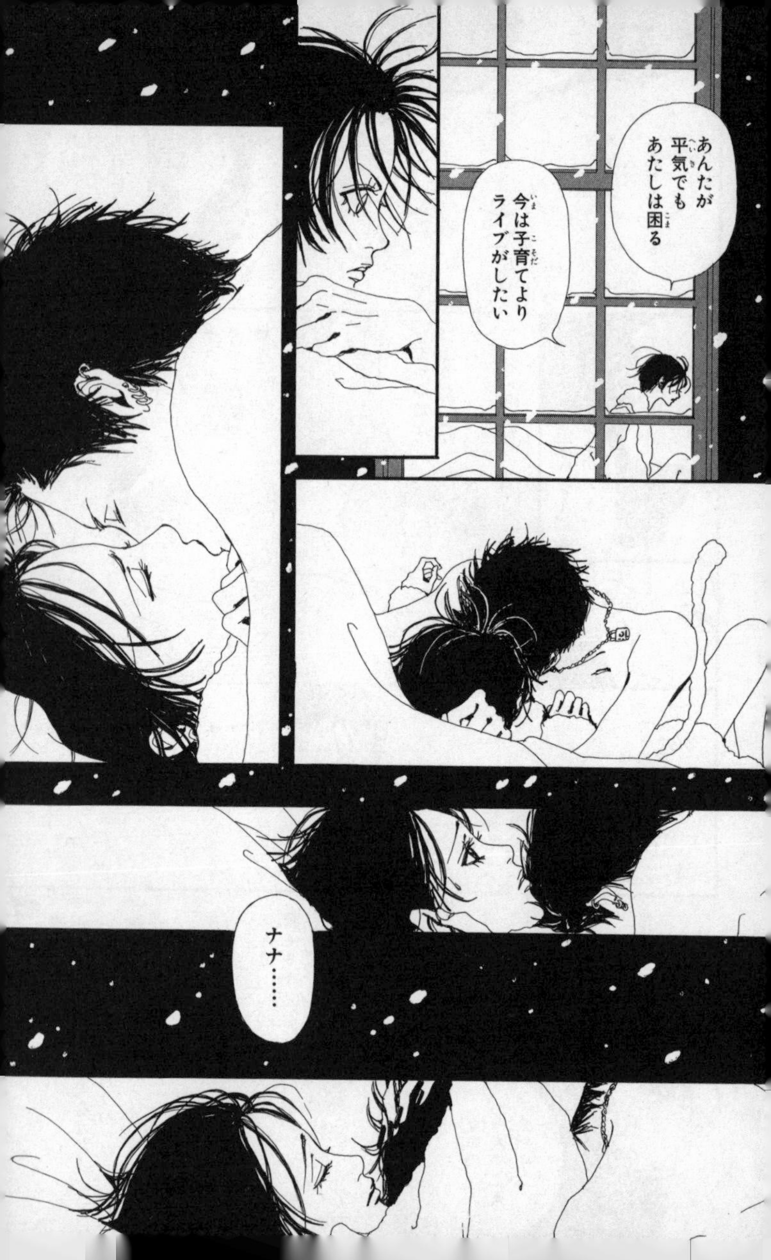
あんたが平気《へいき》でもあたしは困《こま》る
今《いま》は子育《こそだ》てよりライブがしたい
ナナ……

おれ 東京《とうきょう》行《い》くから
おまえは
おまえの好《す》きに
生《い》きりゃいいさ

東京《とうきょう》……？
って何《なん》で？
ヤッさん 大学《だいがく》は？
退《や》めるの？
弁護士になるんじゃなかったの？
だからおれじゃなくてレンがね
人の話をちゃんと聞け
ザァ…
ほら おまえ覚《おぼ》えてない？
おれとレンが 前《まえ》のバンドやってた頃《ころ》よく一緒《いっしょ》にタイバンしてた
「トラップネスト」
トラップ…？
ああトラネス！
あの異様《いよう》に歌《うた》が上手《うま》いボーカルの女《おんな》がいたバンド！
ポン
一緒《いっしょ》に酒《さけ》飲《の》んだり結構《けっこう》仲良《なかよ》かったんだけどさ
2年位前《ねんぐらいまえ》かなプロ目指《めざ》すっつってメンバー全員《ぜんいん》で上京《じょうきょう》してってさ
この度《たび》メジャーデビューが決《き》まったらしいよ
うそっ！
すげえ！

でもマジ上手《うま》かったもんな
でもすげー
ただ デビュー決《き》まったとたんいざこざがあってギターのやつが抜《ぬ》けたらしくてさ
メンバー全員《ぜんいん》一致《いっち》の強《つよ》い希望《きぼう》により
レンにお呼《よ》びが掛《か》かったってわけだ
レンは今朝《けさ》からプロデューサーやらに会《あ》いに東京《とうきょう》行《い》ってるけど
ギターの腕《うで》はテープで認《みと》めてもらえてるし
顔見《かおみ》せみたいなもんだ決《き》まったも同然《どうぜん》だよ

ちょっと待《ま》てよ…
いや まだ上京《じょうきょう》したわけじゃないよ
明日《あした》には いったん こっち戻《もど》って来《く》るから
でも上京《じょうきょう》しちまうんだろ?
じゃあ ブラストは? おれらはどーなんの?
まだ結成《けっせい》して1年半《ねんはん》じゃねぇか
せっかく波《なみ》に乗《の》って来《き》て これからって時《とき》に そんな…
心配《しんぱい》するな ベース弾《ひ》けるやつなんかいくらでもいるから
すぐ新《あたら》しいメンバー見《み》つかるって
でも… なんか納得《なっとく》いかねぇよ こんなの……
なんか すげぇ裏切《うらぎ》られた気分《きぶん》だ
おまえ レンがこんなシケた町《まち》でいつまでもくすぶってんのはもったいないと思《おも》わねぇ?

じゃあ おれらも
レンと一緒《いっしょ》に東京《とうきょう》行《い》って
プロ目指《めざ》しゃいーじゃん!
ブラスト
東京進出!!
悪《わる》いけど おれは
音楽《おんがく》で飯食《めしく》ってく
つもりないから
そんな
バクチな
人生《じんせい》は嫌《いや》
ギュッ…
なんでだよ!
おれらがデビュー
出来《でき》る保証《ほしょう》なんか
どこにもないし
がんばりゃ
いーじゃん!
どんなに努力《どりょく》しても
運《うん》のないやつぁ
ゴマンといるんだ
それに たとえ
おれらが東京《とうきょう》
行《い》ったとしても
レンは
トラネスの
メンバーに
なるべきだよ
レンには
そうなって
欲《ほ》しくないよ
せっかく
ツキが巡《めぐ》って
来《き》たんだ
なにがなんでも
やるべきだよ
BlackStone
Cherry

でも トラネスがデビュー 決《き》まってるっつっても 売《う》れるかどーかも まだ分《わ》かんねぇし…
大丈夫《だいじょうぶ》
あのバンドは 売《う》れるよ
サウンドも 見《み》てくれも 華《はな》があるし
あれにレンが 加《くわ》わりゃ 勝《か》った ようなもんよ
でも!
しつこいな おまえも!
東京《とうきょう》行《い》きたきゃ行《い》けよ!
でも レンの邪魔《じゃま》はするな!
だいたい おまえ 寺島旅館《てらしまりょかん》の 跡取《あとと》り息子《むすこ》だろ
だからこそ就職《しゅうしょく》決《き》まん なくても のん気《き》に してられるんだろ
………
プロ目指《めざ》すなんて 甘《あま》い夢見《ゆめみ》ないで 跡継《あとつ》げよ
バンドは 遊《あそ》びでやりゃ いいじゃ ねぇか
でも……
おれはともかく ナナが……
レンは……
ナナを 捨《す》ててく つもりか…?

そんな人聞《ひとぎ》きの悪《わる》い言《い》い方《かた》するなよ
連《つ》れてけよ！
なんだよそれ……
捨《す》ててくとか連《つ》れてくとか
ナナはレンの飼《か》い猫《ねこ》じゃねぇぞ
……
？
立派《りっぱ》に自立《じりつ》した一人前《いちにんまえ》の女《おんな》だろ
一緒《いっしょ》に行《い》きたきゃ行《い》くだろうよ
それはナナが決《き》める事《こと》だ
レンもきっとそう思《おも》ってるよ
ヤッさん……
あんた大人《おとな》だ
さすがリーダー最年長(21)
おまえがガキなのっ
でもナナまで東京《とうきょう》行《い》っちまったら
さすがにブラストは解散《かいさん》だな

そしたらおれはもう足《あし》洗《あら》うよ
ちょっと名《な》残《ご》り惜《お》しいけど
潮《しお》時《どき》だ
おまえは
新《あたら》しいバンド仲間《なかま》でも探《さが》せよノブ

ノブ
おまえ おれらとバンド 組《く》まねぇ？
ザァ……
寺島旅館（別宅）伸夫の間
……え……
え？ なんで？
今《いま》の バンドは？
解散《かいさん》だよ 解散《かいさん》
もーダメ あいつら
やる気《き》 ねぇんだ もん
まともに練習《れんしゅう》 出《で》ねぇくせに 文句《もんく》ばっか タレてよ
おまえ中学《ちゅうがく》の時《とき》 軽音《けいおん》でギター 弾《ひ》いてたんだって？
レンがノブは 筋《すじ》がいいのに このままやめたら もったいないってさ
え
おれはベースも 弾《ひ》けるし ベースやるから おまえギター やれよ
やる！

あーでも
1年半《ねんはん》も ブランクのある やつが使《つか》いもんに なるかねえ
大丈夫《だいじょうぶ》だよレン！ おれ今《いま》でも毎日《まいにち》 家《いえ》で弾《ひ》いてるし！
レンの曲《きょく》なら 全部《ぜんぶ》マスター してるし！
近頃《ちかごろ》は自分《じぶん》でも 作曲《さっきょく》なんか しちゃったりして
へえ
よし 決《き》まり！
それで？
それで ボーカルは？ 誰《だれ》がやるの？
わく わく
問題《もんだい》は それなん だよな
出来《でき》れば女《おんな》が いいなボク
もうムサクルシイ のはイヤ
そーねー
歌唱力《かしょうりょく》は まあ…… 人並《ひとな》みで いいから
べっぴんさんが いいな
ノブ！ 女《おんな》調達《ちょうたつ》して来《こ》い！ 女《おんな》だ！
超べっぴんのな！
……
けっきょく パシリ役かよ
女《おんな》なら レンの周《まわ》りに いっぱい いるじゃん
ばか言《い》うな おまえ おれが突《つ》っ込《こ》んだ 女《おんな》なんかメンバーに してみろよ
トラブルの 元《もと》じゃねえか
うっとおしい だけだろ
……
そこに愛《あい》が あれば大丈夫《だいじょうぶ》 だと思《おも》う

コンコン
愛《あい》だって
ぷぷっ♡
愛《あい》を笑《わら》う者《もの》は愛《あい》に泣《な》くぞ
伸夫《のぶお》お友達《ともだち》来《き》てるわよ
大崎《おおさき》さん
こっちお通《とお》ししていいかしら
あ いいよ 通《とお》して
大崎《おおさき》・さん？
女《おんな》か！
べっぴんか？
え？
ああ
でも前《まえ》に紹介《しょうかい》した事《こと》あるじゃん
ナナだよ

レンと
二度目《にどめ》に
会《あ》つたのは
潮風《しおかぜ》が肌《はだ》に
絡《から》みつく
真夏《まなつ》の
午後《ごご》だつた

伸夫《のぶお》
これ借《か》りてたCD《シーディー》ありがとう
ああ
じゃあおじゃましました
え？
おいナナ…
ノブ！
おまえら一緒《いっしょ》にカラオケ行《い》った事《こと》ある？
へ？
カラオケ？
あいつ歌《うた》上手《うま》い？
え？
ああ……
人並みに
よし決《き》まり！
あの日《ひ》からあたしは

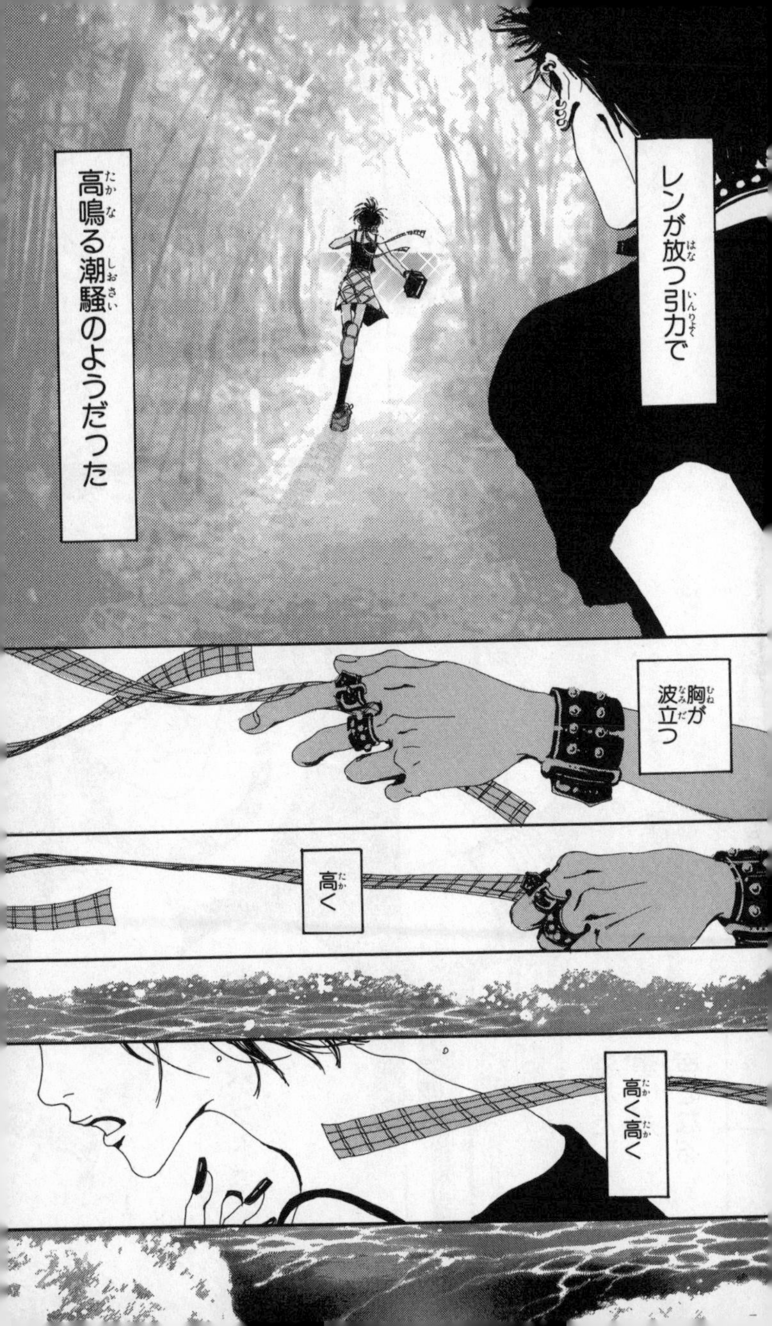

レンが放《はな》つ引力《いんりょく》で
高鳴《たかな》る潮騒《しおさい》のようだった
胸《むね》が波立《なみだ》つ
高《たか》く
高《たか》く高《たか》く

ナナ！
おれのバンドで歌《うた》って！
溢《あふ》れた想《おも》いが声《こえ》になる

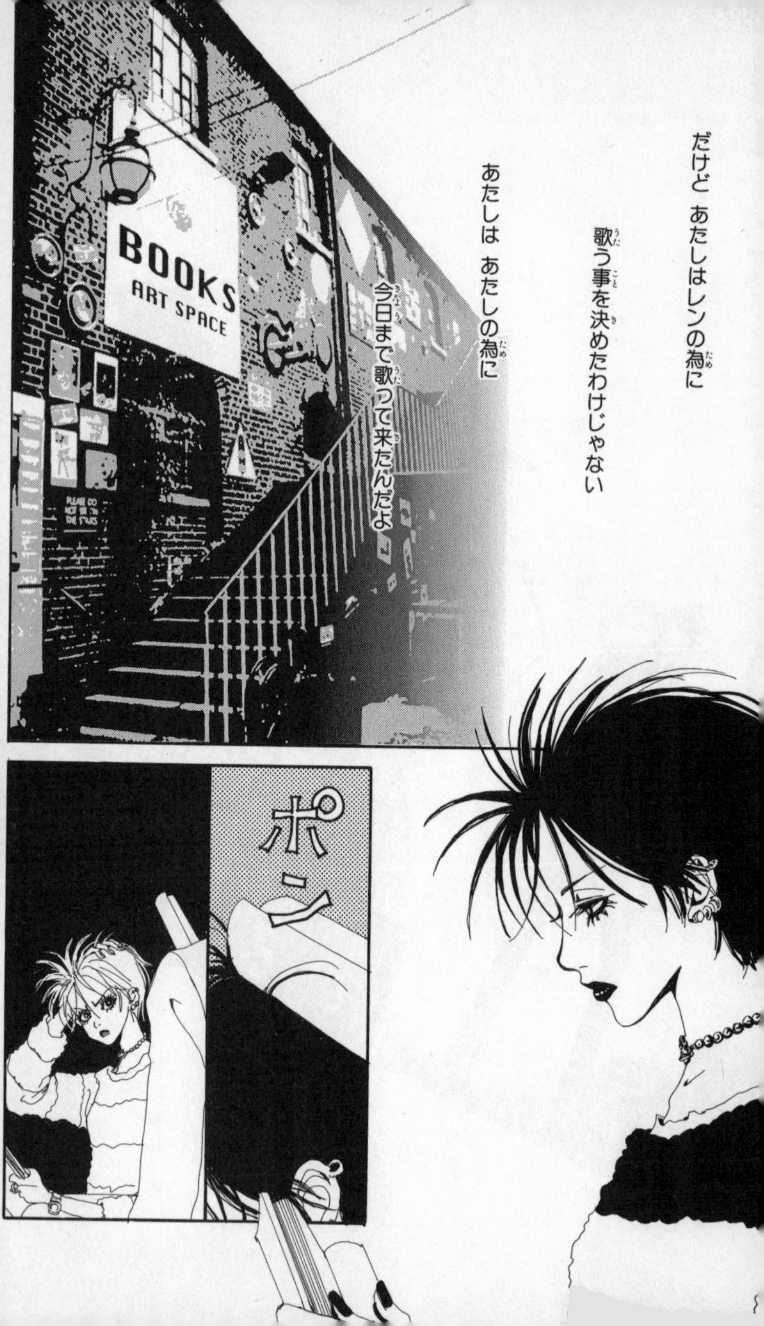
だけど　あたしはレンの為《ため》に
歌《うた》う事《こと》を決《き》めたわけじゃない
あたしは　あたしの為《ため》に
今日《きょう》まで歌《うた》って来《き》たんだよ
BOOKS
ART SPACE
ポーン

どーだ
卒業証書
寺島伸夫
あなた
課程を
ことを証
うらやましーか
OPE
見《み》ろ
制服《せいふく》のボタンも完売《かんばい》だぜ
さすがブラストのギタリスト
第《だい》2ボタンなんていくらで売《う》れたと思《おも》う？
金《かね》取《と》るな
失《う》せなチビ
あたしゃ忙《いそが》しいんだ
うそつけ
超《ちょう》ヒマそーじゃん
この店《みせ》
どーゆー風に忙しいの？
だから読書《どくしょ》にな！
あんたも漫画《まんが》ばっか読《よ》んでないでたまには活字《かつじ》読《よ》め！
これなんか超感動もんだぜ
聞《き》いたよ
レンの事《こと》
おまえどーすんの？
当然《とうぜん》レンと一緒《いっしょ》に東京《とうきょう》行《い》くんだろ？
さては引《ひ》き止《と》めに来《き》たね
あたしがいないと寂《さび》しい？
くすっ
行《い》けよ東京《とうきょう》
おれも行《い》くからさ！

何《なに》言《い》ってんの…？
東京《とうきょう》で新《あたら》しいメンバー探《さが》してさ
一緒《いっしょ》に どこまでやれるか試《ため》してみないか？
そんな簡単《かんたん》にプロになれるとか思《おも》ってないけど
やってみる価値《かち》あると思《おも》うんだ
おれ ナナの歌《うた》はいけると思《おも》う
めちゃめちゃ上手《うま》いとかじゃないけど
独特《どくとく》のハスキーでかっこいい声《こえ》だし
なんか それに賭《か》けてみたくなったんだ
今《いま》さら他《ほか》のボーカルでギター弾《ひ》く気《き》になれねぇんだよ……

きっと ヤッさんも そーだから
ナナが いなくなったら 足洗《あしあら》おうとか 考《かんが》えて…
あんたが 言《い》うなよ……
え?
レンに 言《い》われたかった セリフを
あんたが言《い》うな
ありがとう ノブ……
でも あたしは 行《い》かない……

なんで？
おまえレンと離《はな》れちまって平気《へいき》なの？
レンとは一緒《いっしょ》にバンド組めなくても一緒《いっしょ》に暮《く》らしゃいーじゃん
そんな事《こと》出《で》来《き》ないよ！
ナナ 大丈夫《だいじょうぶ》だよ
レンは おまえがついてってても邪魔《じゃま》に思《おも》ったりしないって
あの女《おんな》たらしが浮気《うわき》ひとつしないんだから
マジにおまえにホレてる証拠《しょうこ》だよ
そんなのわかってるよ…
………わかってんならいーけど
のろけかよ
でもレンに抱《だ》かれる事《こと》だけがあたしの人生《じんせい》じゃねえんだ！
………
そらそーだろーけど…
あたしも歌《うた》で飯《めし》が食《く》えるようになりたい

だから東京《とうきょう》行《い》こうって！
今《いま》は嫌《いや》
なんでだよ
もー わけわかんねえ おまえ
今《いま》行《い》ったらきっとまたレンと暮《く》らしちゃうもん暮《く》らさずにはいられないんだよ
アイシテルから
だから暮《く》らしゃいーじゃん
レンが超歌唱力《ちょうかしょうりょく》のある女《おんな》ボーカルのバンドでどんどん成《な》り上《あ》がってくのにあたしはデビューのあてもなくみそ汁作《しるつく》りながらレンの帰《かえ》りを待《ま》つんだよ
そんなのまっぴらだよ
くやしいじゃない…

だからあたしは
もっと実力《じつりょく》つけて……
レンがいなくても自分《じぶん》の力《ちから》で ちゃんと歌《うた》えるんだって自信《じしん》つけて……
いつか必《かなら》ず
一人《ひとり》でも東京《とうきょう》に行《い》く
悪《わる》いけど それまでこっちでつき合《あ》ってよ ノブ

おれのギター以外《いがい》では歌《うた》いたくないか
いやべつに？
あたしとレンが結《むす》ばれたのは
出《で》会《あ》って ちょうど一年《いちねん》目《め》の
クリスマスの夜《よる》だった
ライブの興奮《こうふん》が冷《さ》めなくて
打《う》ち上《あ》げの帰《かえ》り道《みち》
雪《ゆき》の積《つ》もった防波堤《ぼうはてい》の上《うえ》で
ふざけ合《あ》って はしゃいだ

やった♡
手作《てづく》りケーキだ!
Merry
NANA
モテモテだね あたしゃ
食《く》おっ♡
毒入《どくい》りかもよ
実《じつ》は おれのファンからで
「あの女《おんな》 レンとデキてんじゃないの死《し》んじまえケーキ」
……
毒味《どくみ》しろよ
……
あたしは身《み》に覚《おぼ》えもないのに殺《ころ》されんのなんかやだ
おれだってやだよ
……

あまりに突然《とつぜん》で
目《め》を閉《と》じるのも忘《わす》れた
これで身《み》に覚《おぼ》えも出《で》来《き》たし
殺《ころ》されてもいいかな
死《し》んでもいいと本《ほん》気《き》で思《おも》つた
あたしはレンが欲《ほ》しかつたから
欲《ほ》しくて欲《ほ》しくてたまらなかつたから

あの日《ひ》から
ずっと
バンド内《ない》の
トラブルの元《もと》に
なるから
誰《だれ》もナナに
手《て》を出《だ》しちゃ
いけないんじゃ
なかったの？
…………
大丈夫《だいじょうぶ》
ここに愛《あい》が
あるから
………
ほんとかよ

SID & NANCY
LOVE KILLS
すぐに二人《ふたり》で
暮《く》らし始《はじ》めた
・NANA
本城 蓮
大崎 ナナ
SID & NANC
LOV
レンは
あたしに
歌《うた》う喜《よろこ》びをくれた
ギターを教《おし》えてくれた
生《い》きる希望《きぼう》を与《あた》えてくれた

だけど あたしはレンの為《ため》に
何《なに》をしてあげられただろう
DOCUMENTAIRE VISUEL
TOKYO
このままべつに
歌《うた》なんか歌《うた》えなくなっても
レンと一緒《いっしょ》に東京《とうきょう》へ行《い》って
レンの為《ため》に せめて毎日《まいにち》
ごはんを作《つく》って部屋《へや》を磨《みが》いて
レンの子供《こども》を産《う》んで
そうする
べきなのかもしれない
それだって
充分《じゅうぶん》すぎる程《ほど》の
幸《しあわ》せじゃないか

家族《かぞく》のいない　あたし達《たち》にとって
安《やす》らげる家《いえ》を作《つく》る事《こと》は
夢《ゆめ》を叶《かな》える事《こと》より
必要《ひつよう》なはずなんだ
STATION
荷物《にもつ》 それだけ？

おう
おれには ギターと煙草《たばこ》さえ あればいい
イーヴルアイのアダムのようにな
うそうそ
宅配便《たくはいびん》で全部《ぜんぶ》送《おく》っちゃったんだよ
重《おも》いのやだとか言《い》って
これからは荷物《にもつ》持《も》たす手下《てした》(おれ)もいないしね
レンの付《つ》き人《びと》になるやつの苦労《くろう》が目《め》に見《み》えるようだな
そろそろ時間《じかん》だね

ごほっ

ジーーーー

レンと暮《く》らして
一年《いちねん》と三《さん》か月《げつ》
まだ雪《ゆき》が残《のこ》る
春《はる》の始《はじ》まりに

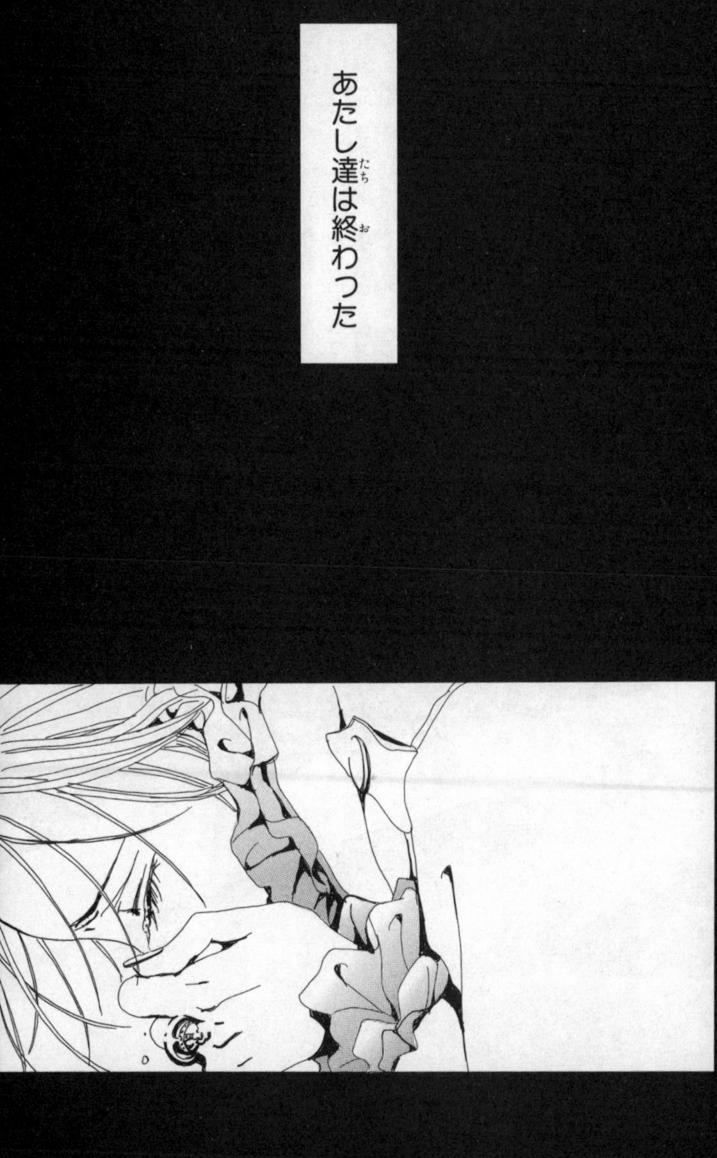
あたし達《たち》は終《お》わった

さよならは言《い》わなかった
だけど 離《はな》れて暮《く》らす事《こと》が
二人《ふたり》にとって致命的《ちめいてき》なのは分《わ》かっていた
電話《でんわ》や手紙《てがみ》なんて価値《かち》がない
抱《だ》き合《あ》えなければ意味《いみ》がない
レンが言葉《ことば》に出来《でき》ない寂《さび》しさを
夜毎《よごと》 あたしの中《なか》で吐《は》き出《だ》しているのを
感《かん》じていたから

NOIZE
the club
NOIZE
the club
誰《だれ》よりも深《ふか》く感《かん》じていたのに

メリークリスマス！
ブラストです
今《いま》でも時々《ときどき》
後悔《こうかい》する
居酒屋
レンのいない
この日常《にちじょう》が
全《すべ》て夢《ゆめ》の中《なか》の
出来事《できごと》に
思《おも》えたりする

特《とく》に こんな雪《ゆき》の
降《ふ》りしきる夜《よる》は
TRAPNEST
NEW SINGLE
WINTER GARDEN

こんな寒《さむ》い夜《よる》は
誰《だれ》か あの男《ひと》を温《あたた》めてあげてね
SID & NANCY
LOVE KILLS
NANAへ
自主制作のCD買ったよ！ 最高!!
ナナの歌に励まされてあたしは生きてるよ。
ナナの書く歌詞は胸にぐっと来る。
もっとたくさんの人に聴いて欲しいな。
でもナナが有名人になったら寂しいかも。
だってレンなんかもう超人気者でさ〜〜
うれしいけどなんかフクザツな気分……。
でも かっこいいから許す！（笑）
ナナは今でも レンと会う事あるの？
がんばってって伝えて下さい。
ナナもがんばってね！
ずっとずっと応援してるよ。
アキコ
P.S ナナの今の髪型 大人っぽくてステキ♡
またマネっこしよーかな。
NANAへ
美里より
Merry Xmas
NANA

Merry X'mas
NANA
…………
甘《あま》……
レンと別《わか》れて一年《いちねん》と九《きゅう》か月《げつ》
もうすぐ二度目《にどめ》の春《はる》が来《く》る
三月《さんがつ》の二十歳《ハタチ》の誕生日《たんじょうび》には
がんばった自分《じぶん》にプレゼントを買《か》いに行《い》こう
東京《とうきょう》までの片道切符《かたみちきっぷ》

手荷物《てにもつ》は
ギターと煙草《たばこ》さえあればいい
NANA—ナナ— ⑪／おわり

あたしの生《う》まれ故《こ》郷《きょう》？
そんな事《こと》聞《き》いて　どうする気《き》？
JUNKO
——ジュンコ——

7F スナック
淳子の部屋
てなわけでみなさんこんばんは——
漫画《まんが》おもしろかった?
あたしはいまいちかな
奈々《なな》の人生《じんせい》なんかべつにどーでもいーし
しょせんおれ達脇役だしね
淳《じゅん》ちゃん?
何《なに》ここ
どーなってんの?
でも このおまけページはあたしが しきるからおもしろい事保証《ことほしょう》付《つ》きよ
とりあえずカンパーイ
ああ おまけページなんだここ
どーもみなさんこんちは
おまけって何《なに》するの?
飲《の》み会《かい》?
何《なに》するかは読者《どくしゃ》からアイデア募《つの》ろうと思《おも》ってんのよ
だから今回《こんかい》はまあ 前《まえ》ふり?
開店準備中
へー
よくわかんないけど楽しそう あたしも手伝うよ淳ちゃん♡
え?
でもこの漫画《まんが》読《よ》み切りだしこれで終《お》わりじゃないの?
実《じつ》は「Cookie《クッキー》」が月刊化《げっかんか》されて「NANA《ナナ》」は連載《れんさい》になるらしいぜ
つまりこのコミックス全体《ぜんたい》が前《まえ》ふりっつーかプロローグだったってわけ

ほんと？やった――！
ありがとう大魔王♡
でも次々《つぎつぎ》に別《べつ》のNANA《ナナ》が登場《とうじょう》する読《よ》み切《き》り連載《れんさい》ってこともあるよな？
あ いーねそれ おもしろそう
それはないでしょ 今回《こんかい》の話《はなし》がプロローグと言《い》うからには
はっ
でも待《ま》って！すでにNANA《ナナ》は2人《り》いるわけだし……
こっちの「NANA《ナナ》」が連載《れんさい》されたりして！
ナナ
奈々画
くすっ
そーかもしれないねえ
そっちのナナのがキャラ強《つよ》いし
そーだよきっとそーだ……
だってあたしたたられてるもん…
このコミックスの表紙もあたしじゃないし…
ヒーローのかっこよさでも負《ま》けてるしな
こりゃマズイんじゃない？
……
まあそれは読《よ》んでからのお楽《たの》しみよ
Cookie
でこのページは「ご近所《きんじょ》」の時《とき》みたく読者《どくしゃ》からのハガキとかも載《の》せるの？
ご近所《きんじょ》？
なんじゃそら
どーしよっかねー
「見《み》のがしてくれよ」のコーナーは嫌《いや》でもやるハメになるだろうけど
「Cookie《クッキー》」は毎月《まいつき》26日《にち》に発売《はつばい》だからみんな買《か》ってね
売れないとヤバイんだから
見《み》のがしてくれよ？
似顔絵《にがおえ》もすでに何通《なんつう》か来《き》てて さ
へー 見《み》して見《み》して

ほら これとか超上手《ちょうじょうず》じゃん？
じゃん
ジョージ
東京都 須藤翠さんからの作品
誰《だれ》だ？ジョージって……
おれはジョージだぞ だいいちこんな濃い顔じゃねえ
知《し》らないの？「パラキス」のジョージ！
同じ矢沢ファミリーのくせに
パラキス？
「Paradise kiss《パラダイス キス》」
ファッション誌《し》の「Zipper《ジッパー》」で連載《れんさい》してる「ご近所《きんじょ》」の続編《ぞくへん》だよ
だから「ご近所《きんじょ》」って何《なに》？
ご近所物語《きんじょものがたり》！
いーからあんたは黙ってて
なにそれ
「パラキス」ならあたしコミックス持《も》ってるよ♡
え！出《で》てるんだ1巻《かん》！それは買《か》わなきゃ
A《エー》5判《ばん》サイズでこのコミックスよりちょっと大《おお》きめなの
Paradise Kiss 1
本屋《ほんや》さんで見《み》つからなかったらレジで注文《ちゅうもん》するといいよ
祥伝社《しょうでんしゃ》から出《で》てるから
……
いーんか 違《ちが》う出版社《しゅっぱんしゃ》の本《ほん》のCM《シーエム》して…
いーのよ ここはあたしの店《みせ》なんだからあたしの好《す》きにするの！
……先《さき》が思《おも》いやられるな
すいませんねえ編集長
あ
おい淳子《じゅんこ》もうページないぜ？
オチとかなくていーの？
えーととりあえずおハガキ待《ま》ってまーす
アイデアやイラストや質問等《しつもんなど》なんでもOK《オーケー》！
あて先はこちら！
〒101-8050
東京都千代田区一ツ橋2-5-10
集英社 Cookie編集部
矢沢あい
「淳子の部屋」係

次号開店《じごうかいてん》!!(たぶん)

収録作品メモ

『NANA―ナナ―』①巻 ■クッキー・平成11年Vol.1からVol.2に掲載

♥りぼんマスコットコミックス クッキー

NANA―ナナ―①

2000年5月20日　第1刷発行
2005年9月30日　第48刷発行

著者　矢沢あい

編集　株式会社 創美社
〒101-0051 東京都千代田区神田神保町2−2
共同ビル
電話 03(3288)9823

発行人　片山道雄

発行所　株式会社 集英社
〒101-8050 東京都千代田区一ツ橋2−5−10
電話　編集 03(3230)6175
販売 03(3230)6191
制作 03(3230)6076
Printed in Japan
印刷所　凸版印刷株式会社

ISBN4-08-856209-7 C9979

風《かぜ》になれ!
15年目《ねんめ》
エスケープ
ラブレター
矢《や》沢《ざわ》あい
RIBON MASCOT COMICS
傑作《けっさく》コミックス
大《だい》好《こう》評《ひょう》発《はつ》売《ばい》中《ちゅう》!!
RMCクッキー
NANA－ナナ－ 1～13巻《かん》
NANA－ナナ－ 7.8巻《かん》
－ナナ&ハチ プレミアム ファン ブック!－
うすべにの嵐《あらし》
バラードまでそばにいて 前《ぜん》・後《こう》
ご近所《きんじょ》物語《ものがたり》 全《ぜん》7巻《かん》
マリンブルーの風《かぜ》に抱《だ》かれて 全《ぜん》4巻《かん》
下弦《かげん》の月《つき》 全《ぜん》3巻《かん》
天使《てんし》なんかじゃない 全《ぜん》8巻《かん》

RIBON MASCOT COMICS

りぼん マスコット コミックス

2005年《ねん》 10月《がつ》14日《にち》 同時発売《どうじはつばい》!!

アゲハ100%《パーセント》③

武内《たけうち》こずえ

如月《きさらぎ》の幼《おさな》なじみ・蘭《らん》が教育実習《きょういくじっしゅう》でやってきた。気《き》になってしかたない凜《りん》。如月《きさらぎ》への自分《じぶん》の思《おも》いに初《はじ》めて気《き》がつくけれど如月《きさらぎ》の気持《きも》ちはどこに…!?ますます目《め》がはなせない!!

サボテンの秘密《ひみつ》④(完結《かんけつ》)

春田《はるた》なな

新《あら》しく赴任《ふにん》してきた保健《ほけん》の先生《せんせい》と藤岡《ふじおか》がイイ感《かん》じで落《お》ち着《つ》かない未来《みく》。そのうえすれ違《ちが》いが続《つづ》き、2人《り》は気《き》まずい雰囲気《ふんいき》に…。超人気《ちょうにんき》作《さく》ついに完結《かんけつ》!!(他《ほか》1編《ぺん》)

聖《セイント》♥ドラゴンガール みらくる⑤(完結《かんけつ》)

松本夏実《まつもとなつみ》

澪《みお》との試合《しあい》やペンダントに隠《かく》された秘密《ひみつ》が、明《あき》らかになったりと、戸惑《とまど》う杏樹《あんじゅ》。そして蓮《れん》か隆司《りゅうじ》か…激《はげ》しく揺《ゆ》れる恋心《こいごころ》。その行方《ゆくえ》は!?いよいよクライマックス!!

アニマル横町《よこちょう》⑥

前川《まえかわ》 涼《りょう》

10月《がつ》からテレビアニメがスタート! で、ますます盛《も》り上《あ》がるキテレツ☆どーぶつコメディ第《だい》6弾《だん》。イヨがつっこみ転向《てんこう》でケンタの立場《たちば》危《あや》うし!? 笑《わら》いが満載《まんさい》☆

Cookie《クッキー》シリーズ

女《おんな》の子《こ》の食卓《しょくたく》①

志村志保子《しむらしほこ》

忘《わす》れられない思《おも》い出《で》の味《あじ》…。それぞれの心《こころ》に残《のこ》る少《すこ》し切《せつ》ないfoods《フーズ》メモリーを10編《ぺん》収録《しゅうろく》。志村志《しむらし》保子《ほこ》先生《せんせい》珠玉《しゅぎょく》のショート集《しゅう》、待望《たいぼう》のコミックス化《か》!!(他《ほか》1編《ぺん》)

ときめきミッドナイト⑤

池野《いけの》 恋《こい》

双子《ふたご》の呪《のろ》いが嘘《うそ》だとわかり一安心《ひとあんしん》する蘭世《らんぜ》。そんな中《なか》、再《ふたた》びダークが指輪《ゆびわ》を狙《ねら》ってやってきた! 必死《ひっし》に抵抗《ていこう》する蘭世《らんぜ》をかばうため、ケインがとった行動《こうどう》は…!?

Honey《ハニー》 Bitter《ビター》③

小花美穂《おばなみほ》

過去《かこ》のつらい記憶《きおく》から逃《のが》れられず、陽太《ようた》を拒絶《きょぜつ》してしまった珠里《シュリ》。彼《かれ》と別《わか》れたばかりのみのりに陽太《ようた》を薦《すす》めたが、2人《り》の様子《ようす》が気《き》になってしまい…?(他《ほか》1編《ぺん》)

インターネットでもりぼんマスコットコミックスが購入《こうにゅう》できます。書店受取《しょてんうけとり》なら送料無料《そうりょうむりょう》!

http://www.s-manga.net/